JN101968

一面に広がるチューリップ畑。花は球根を育てるために早めに摘み取られる（リセにて）。

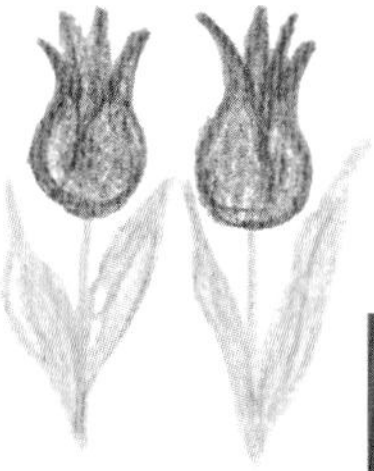

短い夏、燦燦と輝く太陽のもと、どこまでも続く青い海と空を楽しみながら一日を過ごす（スヘヴェニンゲンにて）。

短い夏の終わりを告げるキンデルダイクの祭りにて。夕日を背にした風車が何とも言えない風情を醸し出す（キンデルダイクにて）。

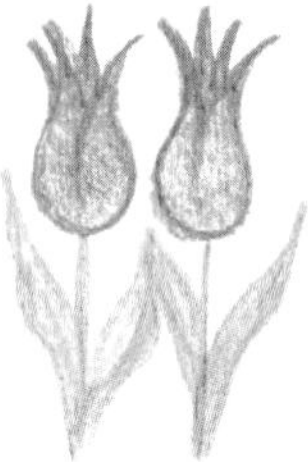

運河が凍り、子どもも大人も待ちに待った運河スケート。オランダならではの冬の楽しみ方（ライデンにて）。

オランダの顔

杉本 尚美
SUGIMOTO Naomi

文芸社

はじめに

大学を卒業後、外務省に入省し、オランダの大使館勤務に就いてからは、私は主に広報文化を担当した。そのなかで、オランダのメディア関係者、政治家、王室関係者から子どもたちに至るまで、幅広い層の人たちとの出会いを重ねた。オランダ人のものの捉え方や言動から、オランダ社会について、またオランダという国に住む人たちに息づく精神について私は大いに考えさせられた。それは常に日本や自分自身について考えることにも繋がっていった。こうした意味でオランダは私にとって大きな学舎であり、私のオランダ観をまとめたのが、「オランダの顔―オテンバ外交官の日記から―」（文芸社、二〇〇一年）だった。

その後二十年以上の歳月が流れ、時代の変化に伴い、オランダという国も随分変わった。その一方で、時代に流されず、変わることのない「オランダらしさ」のなかに、変化の激しい今の時代を楽しく生きるヒントを見つけることができると私は思っている。

この度「オランダの顔」（二〇〇一年刊行）をベースに情報を更新し、修正を加えたのが、この本である。オランダに興味ある人もそうでない人も、日本と四百年以上に亘る長くてユニークな関係をもつオランダという国の奥深さや、オランダを理解することが世界を知ることにも通じる面白さも感じて頂ければ幸いである。

二〇二四年五月　　杉本尚美

運河に架かるいくつもの橋（アムステルダムにて）。

オランダ議会の議事堂ビネンホフ（ハーグにて）。

目　次

本文・口絵イラスト　吉田　和世
写真提供　杉本　隆司
高出　啓介
吉田　和世

フローニンゲン州
ワッデン海
レーウワールデン
フロー
ニンゲン
締め切り大堤防
フリースラント州
ドレンテ州
北海
ノルトホラント州
アイセル湖
ザーンセ・スカンス
フレヴォラント州
ハーレム
アムステルダム
オーバーライセル州
スキポール空港
ライデン
ヘルダーラント州
スヘヴェニンゲン
ユトレヒト
ハーグ
ユトレヒト州
デルフト
アーネム
ロッテルダム
キンデルダイク
ナイメーヘン
ザウトホランド州
ノルトブラバント州
ゼーラント州
マース川
ドイツ
リンブルフ州
ベルギー
マーストリヒト
N
0
50km

オランダの顔

一・海面下の国オランダ

私の生まれ故郷は、岐阜県と愛知県の県境の街、岐阜県羽島市だ。木曽川と長良川に挟まれた平地であり、夏にはみずみずしい田んぼの緑とスカッと晴れ渡る空の青とのコントラストが美しい。また、冬には伊吹山からの冷たい伊吹おろしが吹きつけるが、遠くには雪の帽子をかぶった養老山脈がくっきりと見え、澄んだ空気が年中漂っている。私の大好きな土地である。

岐阜県と愛知県を隔てているのは、木曽川であるが、歴史的には、美濃の国と尾張の国とでは、特に江戸時代、徳川御三家の一門であった尾張の国のほうが圧倒的に政治的な力があり、その時代からの木曽川堤防は、木曽川が氾濫したとしても水害が尾張の国に水害が及ばないように、美濃側の堤防は尾張側より一メートル低くなっていた。だから私の故郷は、生きるために村が協力して輪中を造り、常に水害に備えなければならなかった土地であり、昔から水と戦う宿命だった。

私が小学校にあがる前、堤防が決壊して、多くの家が床下浸水した。少し小高いところに建っている我が家は辛うじて床下浸水は逃れたものの、一階の荷物を屋根裏に避難させた。初めて我が家の屋根裏に祖父と登り、屋根裏に広がる不思議な空間に大きな驚きを覚えたことを記憶している。そして、家のすぐそこまで迫った増水のなかで、舟を漕いだこともおぼろげに覚えている。

そんな環境で育った私が、外務省に入省し、自分の専門の言葉としてオランダ語を与えられた。国土の四分の一が海面下であり、水との戦いという意味で、私が育った環境と共通する「オランダ王国」に赴任したのは一九九五年の初夏だった。

「世界は神が創り賜うたがオランダはオランダ人が創った」

オランダは北海に面し、マース川、ライン川、スヘルデ川により形成されたデルタ地帯に位置しており、歴史的に水との戦いを強いられた土地である。オランダ人は、内海のゾイデル海を締め切り、三十二キロに及ぶ大堤防を造った。デルタ計画では、ゼーラント州の海際に全長約八キロに亘る開閉式ダムを建設した。そして、オランダ十二州のうちの一州、フレヴォラント州を干拓で造り出した。大阪府より少し大きめの州である。

オランダ人は、長い年月をかけて、自分たちの手で、オランダ全国土の三分の二を造り出した。そして常に水をコントロールしながら生きてきた。この「低い土地（ネーデルラント）」

が、オランダである。

因みにオランダで一番高いところは、南部のリンブルフ州、ドイツとベルギーの国境沿いにある三百二十一メートルの「山」である。オランダに住むアメリカ人の友人はそれを「『マウンテン』ではなく、『マウンド』だよ」と笑いながら言う。確かに、パリのエッフェル塔（三百二十一メートル）や東京タワー（三百三十三メートル）と同じくらいの高さの「丘」であるが、オランダ人は、オランダで唯一起伏の豊かなこの地方を特別なものと捉えている。そして、この「山」を持つリンブルフ州出身の人々は、この「山」をとりまく豊かな自然に大きな誇りを持っている。


オランダの一般道を車で走ると、自分の目線より高いところに水面があり、そこを船やヨットが悠々と行く。そして川や運河の下にトンネルを通して走る道がオランダには何カ所かある。

この光景には何とも不思議な気分にさせられるのだが、オランダは、別名「蛙の国」と言えるほどの湿地帯でもあり、低地であることに加えて雨の降ることが多いせいか、何となく太陽から遠い、海面下の国である。

二. 自転車の風

オランダは、欧州のなかで旅客数第四位を誇るスキポール空港、貨物取扱量世界一のロッテルダム港、そして全国を網羅する道路と鉄道を持ち、空路、海路及び陸路全ての交通インフラの行き届いた国である。

それに加えて、便利なだけでなく、環境にも健康にもよい交通インフラとも言えるサイクリング・ロードも見事に整備されている。その道路はあまりにも立派なため、私はオランダで初めて自分の車に乗って出掛けたとき、自動車道と自転車道を間違えてしまったほどである。

オランダ全国どこに行っても必ずサイクリング・ロード用の標識があり、自転車で道に迷うことはない。オランダにはほとんど坂道がなく、平坦な道がどこまでも続いて、サイクリングに最適な上に、オランダは交通渋滞の激しい国でもあるので、自転車は大変重宝されている。

ハーグの街では、朝晩のラッシュ時間には自転車の数もピークに達する。「ここは中国かしら?」と思うくらいに自転車が多い。一方通行の多い狭い道路を自動車で行くより、早くて、健康的で、環境に優しい、それでいて駐車代も要らない自転車のほうが合理的でいい。ハーグは政治機能を有し、オランダの霞が関といった感じの街で、役人の数も多い。建物の造りから通称「蜂の巣」と呼ばれるオランダ外務省も街のど真ん中に位置する。日本の外務省には「官用車」が何台かあり、必要に応じて利用できるようになっているが、オランダ外務省には、「公用自転車」が存在して、必要に応じてオランダ外務省員が利用できるようになっている。合理的で見栄を張らないオランダらしいシステムだと思う。日本大使館や、街のレストランで打ち合わせの約束があるときには、オランダ外務省の局長レベルの方でも「公用自転車」に乗って颯爽とやってくる。そして、近くの柱に頑丈なチェーンで自転車をくくりつけて、うっすら汗をかいて登場する。

一九九七年上半期、オランダがＥＵ議長国を務めたとき、日本大使館ではＥＵ議長国声明を中心にフォローすることが必要となり、一九九七年初春、大使館のＥＵ議長国フォロー・グループが結成された。私もその一員となった。

そして、オランダ外務省の方々を昼食に呼んで打ち合わせをするとき、「公用自転車」で登場されては申し訳ない、と日本大使館の公用車をオランダ外務省に回し、お迎えにあがった。そのとき、ディーリックス・アジア・太平洋局長は「歩いても数分、全然かまわないよ。わざわざ迎えに来てくれて申し訳ないねえ」と笑顔で答えて下さり、会話が弾んだ。まだ大使館勤務に就いて間もなかった私にとって、同じ目線で気さくに話して下さるディーリックス局長は、特別な存在に映った。

振り返れば、オランダ社会では、誰とでも同じ話し方のできる立派なオランダ人が実に多い。

一九九七年五月、ＥＵ閣僚会議がアムステルダムで開催され、欧州の首相等が一堂に集まったが、その時、コック首相を始め、欧州の閣僚が自転車に乗った。オランダならではである。それは実に面白い光景で、偉い首相等が、普通の自転車に乗ると、不思議とみんな普通の人に見えてしまう。

オランダではお年寄りから子どもまで、みんなが自転車に乗っている。平坦なオランダの道路を自転車で走ると、オランダの平等精神の風が爽やかに吹いていることを感じるのだ。

私自身も週末は自転車に乗って何度か出掛けた。大使館勤務に就いてからは、自動車に頼りっぱなしで、自転車に乗るのが億劫になってしまったが、ライデンでの研修時代には、よく自転車に乗って遠出した。振り返ってみれば、一九九五年の初夏、オランダに来て初めての遠出は、ハーレムまでの五十キロのサイクリングだった。

ライデンに到着して数日後、何もかもが目新しくて、まずはライデンの観光局である「ＶＶＶ」に行った。「ＶＶＶ」はオランダのどんな小さな街に行っても必ずある観光局で、その街の最新情報を提供してくれるので、観光客も地元の人も大いに利用する。

「ＶＶＶ」で、オランダ・サイクリング・コースの載った冊子を楽しそうに眺めていたら、「このコースは最高にいいよ」と後ろからオランダ語で声をかけられた。背の高いオランダ人でいかにもスポーツマンといった体格の人だった。

少し話していると、彼はサイクリングのツアー・リーダーであることが分かった。彼の名前はアンドリュース。日本から来たばかりで、誰も知らないライデンで初めて私が会話したオランダ人だった。

「ＶＶＶ」近くのテラスでコーヒーを飲んだ。爽やかな風が何とも心地よいオランダ初夏の昼下がりだった。彼は言った。

「サイクリングはいいよ。オランダはサイクリングしてこそ、その良さが分かるからね。自分がリードしているツアーは『ボート＆サイクリング』というツアーでね、ある日はオランダの運河や川をボートで、またある日はサイクリングでオランダの街を訪ねる。基本的にボートに寝泊まりして、十日間を過ごす。今、リードしているグループは大半がアメリカ人で、あとは

船の通行のため、運河に架かった道路が上がる。しばらくの間道路の下がるのを待つサイクリング・ツアー客と車。

欧州の各国からの人たち。全部で二十人くらいかな。今日はライデンに停泊して、明日、ハーレムまでみんなで走るんだ。よかったら来るかい？　出発は朝八時半、ボートが停泊しているライデンの南端の城門近くに集合だよ」

「自分の住む家もまだ決まっていないのに、遊んでいる余裕などない」と一瞬思ったが、彼の言う「サイクリングしてこそ分かるオランダの良さ」に惹かれて、翌朝、集合場所へ行った。雲のひとつもない天気のよい爽やかな朝だった。

サイクリング・ツアーに参加した人たちの仲間に入れてもらい、アンドリュースに続いて私は自転車をこいだ。ライデンを出て、美しい運河沿いを走り、牧草地を通り抜け、一時間走っては、湖のほとりのテラスで休憩した。初めて見るオランダの田園風景だった。広い牧草地のなかで大きな牛や馬が草を食べているすぐ横を走った。自分の目線より高いところに川があり、船が行く横の土手を走った。空がとても広く、牧草の緑がきれいで、風を切りながら、山のない平坦なオランダを実感した。

自転車をこぎながら感じる風は優しく、自分が自然に包み込まれていくような感覚が特別で、楽しかった。

ハーレムに到着したときは、私は体力の限界で足が棒になってしまったが、オランダ人が自分たちで創り出した土地を走り、私はその土地の美しさを実感し、感動した。

アンドリュースに「よかっただろう？」と笑顔で聞かれ、素直に「本当によかった。ありがとう」と言って別れ、列車でライデンまで戻った。

車窓から見える牧草地を眺めながら、心地良い疲れを感じた。「世界は神が創り賜うたがオランダはオランダ人が創った」。本当に凄い国に来てしまったと思ったことを今でも鮮明に覚えている。

自転車王国オランダ、アンドリュースが言った通り、自転車で走ってこそ分かる良さがそこにはあった。

三．オランダの言葉

オランダ人は、世界でも最も外国語の巧みな国民である。英語ひとつをとってみても、オランダは、非英語圏の国のなかで、万国共通の英語語学試験のひとつである「ＴＯＥＩＣ」の国の平均点が世界第一位だと言われるほどである。

オランダは、アメリカのように、自給自足のできる国では決してない。他国との関わりが「命」とも言える、貿易立国である我が国にどちらかと言えば近い国であると言えるだろう。ただ、ヨーロッパは陸続きで、オランダはヨーロッパのちょうど心臓部に位置していることもあり、また歴史的に見ても、自国の繁栄のために外国人の往来を歓迎してきた国であるから、今でも外国人の往来が激しい。観光客もビジネスマンもオランダを行く。

また、驚くことにオランダ家庭のほとんどが、ケーブルテレビを入れていて、欧州各国の番組を吹き替えなしで見ることができる。オランダの番組ですら、数多くの英語番組を取り入れていて、それも吹き替えなしで、字幕がつくのみである。

因みにフランスやドイツを始め大抵のヨーロッパの国々は、他言語放送は基本的にしない。

自国の言語にきちんと吹き替えて放送している。

そんなところも違うからだろうか、オランダ人は子どもからお年寄りまで、みんな英語をしゃべるし、大学を卒業した大抵のオランダ人は、英語のほか二、三カ国語は話すことができる。

旅慣れぬ外国人がカメラを下げて、片手にガイドブックを持って、オランダの駅の構内を不安げに見回していると、必ずと言っていいほど、オランダ人が英語で「Can I help you?」と声をかける。また、オランダでは車のナンバー・プレートから「外交団」であることが分かるのだが、「外交団」のひとりと分かれば、見ず知らずのオランダ人が、古くから外交のための共通言語として広く知られているフランス語で話しかけてくるのである。

私も、洗車を待っているとき、見事なほどに美しいフランス語で「もうちょっと前に詰めていただけるかしら」と言われた経験がある。オランダ語で「すぐに前に出すのでお待ちくださいね」と私が返事すると、目を丸くして「貴女はなぜ、オランダ語が話せるの？」と驚かれ、大変楽しく会話した想い出がある。

実に外国語に長けた国民であるから、オランダは、旅行するにも、ビジネスをするにも何ら不自由ない。日本語ですら流暢に話すオランダ人もかなりいる。

歴史的に見ても、オランダ人は外国語に長けている。その良い例が、オランダが「国」として成立する前の土地「ネーデルラント」に住む人々から敬愛されたカール五世である。ネーデルラントで育ったオランダ人カール五世は、次の言葉で有名になった。

「私は神にはスペイン語で、女にはイタリア語で、男にはフランス語で、そして馬にはドイツ語で話しかける」と。

そんなオランダ人が普段話す言葉は、「オランダ語」だ。世界中で二千万人強程度にしか通じない。

オランダ語は、ドイツ語と英語の両方に似た言葉で、ドイツ語専門の私の同期は、「うどんを食べながらドイツ語を話すと、『オランダ語』のように聞こえるね！」と冗談交じりにオランダ語に対する印象を語った。それほどにドイツ語に近い言葉でもある。

オランダ語は難しい。日本人だけでなく外国人には、オランダ語の発音は特に難しく、弱音を吐いてしまいたくなるほどだ。私も何度かくじけそうになった。

なかでも「g」の発音は、巷で「おやじさん」と呼ばれる人たちが、喉に絡んだ痰を吐くときの音に似て、贔屓目に見てもきれいな音というにはほど遠い。一緒にオランダ語を勉強したアメリカ人の友人は、オランダ語を「throat disease」（「のどの病気」）とよく揶揄したものだ。

第二次世界大戦中、ドイツ軍がオランダを占領したとき、オランダ人は味方であるオランダ人と敵であるドイツ人を見分ける方法として「Scheveningen」を発音させて区別した。「Scheveningen」とは、海に沈む夕日が美しいことでも有名な、ハーグ郊外にある海岸沿いの街の名である。言語的にはオランダ語とドイツ語はとても似ているのだが、ドイツ人が「Scheveningen」を発音すると、オランダ独特の「g」の音が消え「シェヴェニンゲン」となるらしい。

また、「Scheveningen」を日本語で表記すると、「スヘヴェニンヘン」となる。オランダの日本人コミュニティーでは、その発音の難しさと覚え易さから、「スケベ・ニンゲン」となってしまった。


ライデン大学でオランダ語を勉強していた頃、日本人に難しいもうひとつのオランダ語の発音「r」が「g」に重なった単語（例えば、groen, groeten）が出てくる度に、集中的に私に発音するように指示が飛んできて、何百回とクラスメートの前で練習させられた。何度やってもうまくできないものだから、もの凄く恥ずかしかったことを覚えている。でも、こんな恥はさらすもの。クラスメートは、微笑みながら、私と先生の個人レッスンを辛抱強く待ってくれた。そのお陰で、あれほど嫌だった「g」の発音が、オランダ人に負けないほど上手にできるようになってしまった。

またオランダ語は、単語のなかの一音が変わると、全く意味の違う単語になってしまう。それもオランダ語は難しいと思う所以だが、その反面、面白いとも思う。

オランダには、王室御用達の空港ファルケンブルフ（Valkenburg）がある。大使館勤務に就いて間もない頃、ドイツ語のできる上司に随行してアムステルダムに向かった。

アムステルダムに向かう途中、ファルケンブルフを通過するとき、その標識を見て上司から「ファルケンブルフってどういう意味？」と聞かれた。私は即座に「王室御用達の空港で、意味は『豚の城』ですね」と答えた。

「ファルケン」（varken）は「豚」で「burg」は「城塞」を意味するから、何の疑いもなく即答した。

数カ月後、またもその上司に随行してアムステルダムに行く機会があったのだがそのとき、「ファルケンブルフは、もしかして『鷹の城』っていう意味なんじゃない？」と言われた。改めて標識をよく見ると「Valkenburg」。「r」ではなく「l」である。「varken」は豚の意だが、「valken」であれば「鷹」を意味するから、「豚の城」でなくて「鷹の城」となる。「r」と

「l」の違いで「豚」と「鷹」になってしまうのだ。

冷静に考えると、「豚の城」なんて王室御用達の空港にしては格好悪いし、「鷹の城」のほうが適切な地名だなあと思って、「豚の城」と即答した自分がおかしくて、上司と大笑いした。このことがあって以来、ファルケンブルフを通過する度に、この話題で盛り上がった。

また、史実を見ても、ナポレオンの弟ルイ・ボナパルトが私と同じような失敗をして、今日まで語り継がれ、オランダ人の笑いを誘っている。哀れなルイ・ボナパルトである。

ルイ・ボナパルトは、オランダがナポレオンの占領下におかれた時代、兄ナポレオンからオランダを治めるよう指示を受けて、アムステルダムのダム広場にある市庁舎にやってきた。そして、この市庁舎を自分の邸宅として「王宮」に変えてしまった。それが今もなお、「王宮」の名を残したまま、オランダ王室の迎賓館として使用されているのだ。

ルイ・ボナパルトは、オランダで自分が王様であることを「オランダ語」でアムステルダム市民に言いたかったようで、大勢のオランダ人を集めて「Ik ben een konijn!」と大声で言った。それを聞いたオランダ人たちは、その場は笑いをこらえたものの、ルイが去ってから腹を抱えて大笑いしたという。「konijn」（コネイン）とは「ウサギ」を意味し、ルイが言いたかった「王様」とは「koning」（コーニンク）なのだ。つまり、ルイ・ボナパルトは、大勢のオランダ人の前で、大威張りで「私はウサギだ！」と言ったのだった。

オランダ人は、オランダ語がいかに難しい言語であるかを説明するときに、このルイ・ボナパルトの話を楽しそうに引き合いに出す。私もルイ・ボナパルトの失敗を笑えないほど多くの失敗を繰り返しているから、これ以上は言えない。

やっぱりオランダ語は難しい言語なのだと思う。

しかしながら、オランダ語に慣れてくると、妙にオランダ語に愛着が湧いてきて、どの国にも存在しない、愛らしい特別な言葉だと思うのだ。

オランダ語には話し言葉では、頻繁に縮小形が使われる。オランダ語の名詞の語尾に「-je」を付けることによって、「―チェ」「―ヒェ」となる。たとえば、ビール一杯のことを「een biertje」（エン　ビアチェ）と言ったり、パンのことを「broodje」（ブローチェ）、コップのことを「kopje」（コッピェ）と言ったり、それは、ありとあらゆる名詞に付けることができる。

オランダ人には「small is beautiful」という観念があって、小さいものをこよなく愛する人たちだ。自分の身体より小さいものについては、全て縮小形を使いたくなってしまうのかも知れない。

「小さな」を意味するオランダ語「klein」（クレイン）でさえも、更に縮小形をつくり、

「kleintje」（クレインチェ）という。日本語に訳すと「ちっちゃなもの」となり、オランダではよく赤ん坊のことをさす。

因みに、「kleintje」の複数形「kleintjes」（クレインチェス）のあとに、「する」という動詞を付けると「控えめに行動する」という全然違う意味になってしまう。

とにかく、オランダ語の話し言葉ではいろんなものが全て小さく、可愛らしくなってしまうのだ。

身体の大きなオランダ人が縮小形を頻繁に使うのは、やっぱり小さきものへの憧れもあるのかもしれない。

「Dutch comfort」（さっぱり有り難くない慰め）、「Dutch concert」（騒音）、「Dutch nightingale」（音痴なオペラ歌手）を始め、英語のなかに出てくる「Dutch」（オランダ人）はことごとく否定的な意味合いの単語に使われているが、これは、オランダの黄金時代、その繁栄を妬んだイギリス人が頭をひねって作り出した言葉に違いないと思ってしまう。

オランダ人は大きな身体で小さきものをこよなく愛する国民である。それが、「のどの病気」などと言われ、難しいとされるオランダ語そのものに垣間見ることができるのも面白い。

四．ヘゼリッヒヘイト

「ヘゼリッヒヘイト（gezelligheid）」という言葉は、とてもオランダらしい言葉で、何語に訳しても、その言葉の真髄を伝えることはできない。敢えて訳すとすれば、英語では「cosiness」が一番近く、日本語では「居心地の良さ」とでもなろうか。

オランダにいて、オランダ人の輪のなかに入ってこそ感じることのできる「居心地の良さ」である。

オランダに住んでみると、オランダ独特のこの言葉には、オランダの季節が大きく関係しているように感じる。

オランダの秋は、日本の秋と比べると悲しくなるほど、暗い。サマータイムが終わる十月下旬頃から確実に日が短くなる。そして、たまに天気の良い日に散歩すると、自分の影が異常に長いことに気づく。

冷静に考えれば、オランダは樺太と同緯度の北緯五十度から五十三度に位置する北国であるから、秋から冬は、太陽が一番高く昇る時間でもそれほど高くない。

オランダの秋は風雨の毎日で、それをオランダでは「嵐」（storm）と呼ぶ。外を歩こうものなら、傘が簡単に壊れてしまうほどの、もの凄い風雨なのだ。だから、紅葉を楽しむなどもってのほか、あっと言う間に木々の葉が落ちる。そして、日に日に寒さが身にしみてくる。こうして駆け足で長い冬を迎えるのだ。


私は、オランダでの初めての冬をライデンで迎えた。ライデンの街は、他のオランダの街の多くがそうであるように、運河に囲まれている。

運河沿いには、暖かみのあるオレンジ色の電灯が等間隔に並んでいて、木の葉も全て落ちるから、その明かりは、ゴッホが残した作品「ローヌ河の星月夜」のように、静かな水面に美しく映る。そんな幻想的な景色が続く代表的な運河が、ラーペンブルフ通りの運河である。ライデンの街の中心部にあり、私の通学路沿いの運河でもあった。

一九九五年の冬は、ライデンの運河が見事に凍り、天然の大スケート・リンクとなった。

夕方五時には外は薄暗くなり、電灯が灯り始める。そして、みんな運河に降りて氷の上をスケートしたり、犬を散歩させたり、自転車を引いて歩いてみたりする。それは、一種不思議な光景である。

それは、アムステルダム国立美術館にある、十七世紀のオランダ人画家アーフェルカンプ（Averkamp）の作品「冬の光景」（Winterlandschap）の世界そのものである。「冬の光景」には、十七世紀のオランダの老若男女が楽しそうに氷の上でスケートをしたり、おしゃべりをしたり、ものを運んだりしている「氷の上の日常」の様子が描かれている。

私も氷の上を滑りたくなって、運河が凍ったその日に、オランダ人の友人とスケート靴を買いに走った。サイズがなくて、アイスホッケー用のスケート靴を買った。

そして、気心の知れたオランダ人の友人数人とライデンの運河を滑った。

運河に架かる橋の下をいくつもくぐり抜け、私だけが何度も転びながら、ライデンを一周した。というのも、屋内のスケートリンクとは訳が違って、自然に凍った運河は、ところどころ氷の張りが十分でなかったり、運河の橋がそれほど高くないので、思いっきり身体を屈めて通り抜ける必要があるのだ。

幼い頃から運河の上を滑っているオランダ人のようにはうまくいかない。

氷の上には、人だけでなく、屋台も出ていて、あつあつのホット・チョコレートやホット・コーヒーを売っている。おまけに、ちょっとした椅子まで用意されていて、バックグラウンド・ミュージックが流れる。

そんなところで、小さな輪になって腰を下ろし、夜空を眺めながら、静かにあつあつのホット・チョコレートを飲む。このときに仲間から出る言葉が、「Gezellig hè?」（「Cozy, isn't it?」）なのである。

オランダの冬は寒くて長いから、自然と家の中で過ごす時間が長い。家族とともに、暖炉を囲んで、ホット・チョコレートやホット・コーヒーを飲みながら、お父さんは新聞を読み、お母さんは編み物をし、子どもはテレビ・ゲームに熱中している、そんななかに和やかな家族の会話がある、例えば、そんな構図が「ヘゼリッヒヘイト」である。

また、春の訪れを感じる初春の晴れた週末には、多くのオランダ人が海岸に行く。

春の予感を感じながらどこまでも続く海岸沿いを歩く人々（スヘヴェニンゲンにて）。

オランダ西部は北海に面しており、見渡す限りの砂浜が続く。そこで、家族や友人とともに砂浜を何キロも歩くのである。その光景は、見ていて実に面白い。別に特別な目的があるわけではないが、春の予感を感じながら、波の音を聞きながらひたすら歩く。これも「ヘゼリッヒヘイト」である。

そしてオランダにも爽やかな短い夏が訪れる。サマータイムに入る三月下旬からは、時計の針を一時間進めて、夜十時過ぎまで明るい一日を満喫するのである。夕食後、自分の家の庭のテラス、或いは、家の前の通りに椅子を出し、ビールを飲みながら、家族や友人等と何時間も一緒に座って通り行く人を眺めたり、自然の変化を観察する。これも「ヘゼリッヒヘイト」である。

四季の変化に応じて、気心の知れた仲間とともに静かで平和な時を共有することがオランダの「ヘゼリッヒヘイト」だと私は理解している。

慌ただしい日常生活のなかで、ふと思い出して大切にしたいと思う言葉だ。

五．水との戦い　―締め切り大堤防に見る限りなき挑戦―

　ロシア人宇宙飛行士ガガーリン大佐は人類最初の宇宙飛行に成功し（一九六一年）、「地球は青かった」という有名な言葉を残した。ガガーリン大佐は、宇宙船ヴォストーク一号の窓から地球上にあるふたつの物体を確認した。ひとつは中国の万里の長城、もうひとつはオランダ北部にかかる三十二キロの締め切り大堤防である。

　外国を旅行してオランダへ向かう帰路、着陸態勢に入った飛行機の窓からは時々、海の中に奇妙に延びる真っ直ぐな線が浮かんで見える。

　この線が、オランダの内海であったゾイデル海を締め切り、淡水のアイセル湖を造った全長三十二キロに亘る「締め切り大堤防」である。私は、飛行機の窓の下に広がるこの「直線」を見る度に「オランダに戻ってきたなあ」と故郷に戻ったかのようにほっとすると同時に、「よくもこんな凄いものを造ったなあ」とオランダ人の「勤勉さ」というより「辛抱強さ」に驚嘆する。

32キロの締め切り大堤防。右側（北）がワッデン海、左側（南）がアイゼル湖。

「世界は神が創ったが、オランダはオランダ人が創った」と誇るオランダ人の不屈の精神をこの締め切り大堤防に集約された形で見ることができる。

広い地球のなかで、九州程度の小国オランダに住む人たちが造り出した、海上に浮かぶ締め切り大堤防が、人類最初の宇宙船から見えたことを考えると、人類の創造性の限りなき挑戦の賜物を二重の意味で感じることができる。

アムステルダムから車でノルトホラント州を北上すること約一時間、締め切り大堤防にさしかかるところに、アムステルダム方向を向いて立つコルネリス・レーリー（Cornelis Lely）の像が見えてくる。彼こそ、締め切り大堤防の計画を含むゾイデル海の一連事業を立案し、実行に移した大胆不敵な人物である。

レーリー氏が立案したゾイデル海事業とは、ノルトホラント州とフリースラント州を繋ぐ三十二キロの締め切り大堤防を造築する事業とアイセル湖畔に五つの干拓地を造り、オランダ国土面積を約六パーセント増加させるという事業のことをいう。

この事業立案の背景には、一九一六年にオランダを襲った洪水災害と、第一次世界大戦中のオランダ国内の食糧不足があった。

従って、この事業計画の遂行は「必要」から生まれた、オランダ人の創造性の限りなき挑戦であった。堤防を造ることによって水害から身を守り、そして、干拓によって生まれる土地を農地利用することによって食糧を調達をしようというのがもともとの計画の始まりであった。

一九二〇年、レーリー氏は、運輸公共事業省の大臣に就任。一九二七年から始まった締め切り堤防が五年の歳月を経て完了した。そして五つの干拓計画のうち、一九六八年までに四つの干拓が終わり、そのうちの二つの干拓地が一緒になって、一九八六年、オランダ第十二番目の州として「フレヴォラント州」が生まれた。

フレヴォラント州は、レーリー氏のお陰で生まれたことから、その州都は「レーリーの街」

（Lelystad）と名付けられている。

オランダ人の手によって生まれた「フレヴォラント州」は、整然と植えられた木々に少しだけ人工的なものを感じるものの、農地が一面に広がり、もともとの「食糧調達」という目的を果たすと共に、アムステルダムの「ベッドタウン」として、また、新たなレクリエーション地として見事にその機能を果たしている。


締め切り大堤防の入り口には、料金所があるわけでもなく、あっけないほどすぐに大堤防の上を走っていることに気付く。北側がワッデン海、南側がアイセル湖となるが、ワッデン海の方が水位が高いため、海側は一段と高い堤防で遮られていて残念ながら車窓から湖を見ることはできても海を見ることはできない。

締め切り大堤防のちょうど真ん中には、ちょっとした展望台と休憩所がある。その展望台からは、一直線に延びる締め切り大堤防とアイセル湖、ワッデン海の両方が見える。

海面より低い位置にアイセル湖の水面があり、その向こう側にオランダが存在することが分かって、「海面下の国オランダ」を感じることができ、とても不思議な気分になる。

展望台の登り口には、大堤防の石を積み上げる人物像が描かれた等身大のレリーフが飾られていて、それは「将来のために造り続ける国民」（「EEN VOLK DAT LEEFT BOUWT AAN

ZIJN TOEKOMST」）と題されている。

石を持ち上げるオランダ人男性の大きな手とたくましい腕の筋肉の盛り上がりがとても印象的で、自分たちの国を水害から守るために、信念を持って働き続けたオランダ人の不屈な精神が伝わってくる。そして、今自分が立っている土地こそが、オランダ人の手によってひとつひとつ丁寧に積み上げられた努力の結晶であると実感させられる。オランダは神が創ったのではなく、「オランダはオランダ人が創った」のだと改めて思う瞬間でもある。

そして、展望台から続く陸橋を渡ってワッデン海側に行くと、そこにも石を積み上げる等身大の像があって、その横には「水との戦いは人々によって、人々のために続く戦いである」（「DE STRIJD TEGEN HET WATER BLIJFT EEN STRIJD DOOR EN VOOR DE MENS」）と記されてある。

オランダがこの地球上に存在するための宿命が「水との戦い」なのである。それは、水との限りなき戦いであり、根気を失った時点でオランダは簡単に水に沈んでしまうということになる。

オランダは環境問題に敏感である。特に地球温暖化現象は、水位が上昇することにより、真っ先に沈む国のひとつがオランダであることから、まさに死活問題と言える。また、オランダ人は干拓によって土地を造り、自分たちの手で自然をも造り出してきた。だからこそ、神が造った豊かな自然が人の手によって壊されることに、とても敏感に反応するのだと私は思っている。

締め切り大堤防に使われた石は、人工コンクリートではない。自然石である。山のない国オランダが、近隣諸国からわざわざ自然石を買って運んだ。そしてひとつひとつそれを積み上げた。自然石を使うことによって、アイセル湖が呼吸できる環境を作り出し、微生物が住める環境を整えたのだ。

人の手によって自然に手が加えられるとき、オランダは、自然のサイクルが破壊することのないよう、できる限り自然な形で行われるよう、細心の心配りをする。

オランダは、環境問題への取り組みに熱心である。しかし、その一方で、環境問題を考える発想が実にオランダ人らしくて面白いと思ったオランダの官僚の話がある。

オランダで環境問題を扱うのは、「住宅・国土計画・環境省」である。環境問題と国土計画との関連が大きいことから、こういう名前の省が存在することになる。時代の要請に合わせてその組み合わせが変わるのも、現実をきちんと捉えて対応するオランダらしくて面白い。

「住宅・国土計画・環境省」の環境を担当する官僚が語った話はこうである。

「オランダは海面下の国で、地球温暖化の進行で真っ先に海に沈む国である。だから環境問題はオランダにとって死活問題である。でもよく考えると、海の水位一センチの上昇を抑えるために環境問題に真剣に取り組むよりも、オランダの堤防を数センチ高くするほうがずっと簡単なんだよね」

まさにその通りで、水のコントロールを見事に成し遂げてきたオランダにとっては、水位が何センチ上昇しようと、それに対応して堤防を高くすれば済む話なのである。それにしても、環境問題を扱う官僚がこんな発想をすることに、私は腰を抜かすほど大変驚いたが、冷静に考えれば、現実問題として、コストも労力もそれほど要らずに簡単にオランダを守る方法は、堤防を高くし続けることであり、この発想には徹底的にプラグマティズムを追求するオランダ人らしさを垣間見ることができて面白いと思った。

環境問題を担当するオランダ人官僚の話は、たとえ半ば冗談にしろ、締め切り大堤防を行けば、オランダという国の底力を感じることができる。オランダは、オランダ人の手によって創られたのだ、と。そして、オランダにとって「水との戦いは人々によって、人々のために続く戦いである」ことを実感するのである。

六．花の絨毯

オランダの冬は気が滅入ってしまうほど暗くて長い。太陽の暖かさを背に感じることのできる日は滅多にない。だから晴れた日には、オランダ人のように目的のない長時間の散歩に出掛けるのだが、太陽の位置がいつまでも夕暮れ時のように低く、自分の影が異様に長いことに気付く。それは、自分がいかに緯度の高い国にいるかを実感する瞬間である。地図を開くと、オランダは樺太と同緯度に位置するからそれもそのはずである。

そんな暗くて寂しい冬も、二月の終わり頃になると、道端にクロッカスの芽が頭を出して、いよいよ長い冬も終わりを告げようとしていることを知らせてくれる。

クロッカスは目の覚めるような鮮やかな黄色や紫、または純白の可愛らしい花をつける。茎の部分が妙に細く、その割に花の部分が頭でっかちで、純粋無垢な「春の赤ちゃん」とでも言いたくなるような、あどけない可愛らしい花である。

そんな「春の赤ちゃん」が、オランダの平坦な土地に彩りを添えてから一カ月後、今度は、まるでクロッカスを五倍以上大きくしたかのような、赤や黄色の美しい色とりどりのチューーリップの花がオランダの土地を一面に覆う。

それは実に見事で、「花の絨毯」という言葉がぴったりである。

オランダの春を初めて迎えた一九九六年春、ライデンからキューケンホフ（Keukenhof）までの約二十キロの道程をサイクリングで走った感動は今でも鮮明に覚えている。

キューケンホフとは、一九四九年、花の野外展示場として設立された、何度訪れても飽きることのない美しいチューリップ庭園である。毎年春には、チューリップを愛でに世界中から観光客が集まることで知られている。その規模は二十八ヘクタール、日比谷公園の約二倍の広さに相当し、チューリップ庭園としては世界最大の規模を誇っている。お弁当

春には世界中からの客を迎えて賑わう花の庭園キューケンホフの様子。

を持って一日のんびりと散策を楽しむのにぴったりの花園だ。

キューケンホフは、もともとハーブや野菜等、料理に必要なものが栽培されていた伯爵夫人の土地であり、「Keukenhof」を直訳すると「キッチン・ガーデン」で文字通りの名前が今もそのまま使われていて面白い。この美しい花園、キューケンホフまで、やっぱりオランダ流に自転車で行きたいと思い立ち、ある晴れた日の朝、サイクリング・マップを頼りに我が家を出発した。

まだ肌寒い春の風を切って鮮やかな「花の絨毯」の道を自転車で駆け抜けると、長くて暗いオランダの冬がようやく終わり、短くも爽やかで明るい季節を迎えようとしているのだと、春を迎えた喜びに浸った。

大学時代、爽やかな欧州の夏を一旅行客として過ごしたときは、欧州の夏はなんて爽やかで過ごしやすいのだろうと単純に思ったものだが、欧州の長くて厳しい冬を経験して初めて、欧州の人々が感じる心からの迎春の喜びと、束の間の夏の楽しみがどんなに格別なものであるかを、このとき私は身をもって体験したのである。

そして私は、「花の絨毯」の鮮やかな色に、「うさこちゃん」または「ミッフィー」として我が国で大人気の可愛らしいうさぎのキャラクター「ネインチェ」（Nijntje）生みの親であるオランダ人作家ディック・ブルーナの色の使い方を重ねた。

あのシンプルかつ軽やかで鮮明な色使いは、暗くて長い冬を越えたあと、こうして広がるチューリップの花の色のなかに迎春の特別な想いをもつオランダ人だからこそひらめく色使いなのかもしれない。

「花の絨毯」が一面に広がるライデンからハーレムまでの一帯は、砂丘地帯であり、球根栽培に適している。オランダの砂丘は、鳥取砂丘のような美しい砂浜というより、海岸線に沿って平坦な整然としたオランダの土地のなかで、生命力のある草木が生い茂る野原というほうがしっくりくる。

オランダの海岸沿いの砂丘は、北海からの強い風を受けて盛り上がり、大抵は小高い丘になっている。ハーグの近郊にある海岸沿いの村ケイクダウン（Kijkduin）は、日本語に直訳すると「見晴らし砂丘」であり、それは、文字通り、天然にできた「見晴らし台」であり、格好の散策路になっている。

この「見晴らし砂丘」からは、夏の晴れた日には、心が洗われるように静かで厳かな、水平線に沈みゆく紅の夕日を眺めることができる。

また砂丘は、水を浄化する作用をもっており、その自然の摂理を生かして、この地域では、砂丘を通して浄化された水を飲んでいる。

こった。ある花屋が千二百五十フローリンで買ったチューリップの球根一個がいかなる値でもさっぱり売れなくなってしまったのである。

この事態に慌てた花卉業界は、アムステルダムで会合を持ち、一六三六年十一月三十日以前に発行された支払書についてのみ有効とし、それ以降の支払書は無効とすることを決め、この取り決めはすぐにオランダ政府によって認可された。

これに従って、チューリップの球根の値は下がり続け、一個五千フローリンから五十フローリンまで下落した。

百分の一まで値が下がったこのチューリップ・バブルの崩壊は、実に多くの人々を破産に追い込んだ。

世界史上初めてのバブル崩壊だった。

チューリップに代表される花は、オランダでは、人と人を結ぶ潤滑油として日常生活のなかで素晴らしい役割を果たしている。友人の家に招かれたときのプレゼントとして、また、リビング・ルームの窓際に置く飾りとして、日常生活のなかに必ず「花」が存在する。

夕方、仕事が終わり、スーツ姿のまま自転車に乗り、その自転車の後ろに花束をくりつけて家へ急ぐサラリーマンの姿をオランダではよく見かける。

これは、オランダに暮らした私の大好きなオランダの日常の一こまであり、愛する妻へのちょっとした心遣いだろうか、または友人の誕生日に届けるプレゼントだろうかとほほえましく想像をめぐらしてしまう。

そんなオランダを代表する花がチューリップであるが、チューリップの花言葉は「思いやり」である。そのチューリップの花言葉に、オランダの日常生活のなかで「花」を介して伝わる人々の温かい心を私は感じるのである。

「花の絨毯」を愛でる季節が巡ってくる度に、人々の心に潤いを与え、オランダ社会の潤滑油としての素晴らしい役割を持つ、美しき「花の国オランダ」を実感するのである。

七．ウナギと花市場

我が国では土用の丑の日にウナギを食べる習慣があり、これは夏のやせたウナギをどう売るかで困り果てたウナギ屋さんが平賀源内に相談して考案された習慣であるとされている。日本ではウナギと言えば、「蒲焼き」が何と言っても美味しく、白いご飯の上に、ウナギのたれがたっぷりかかった鰻重は私の大好物のひとつである。我が国のウナギの蒲焼きは、一七〇〇年頃には既に江戸に専門店があったほど、その歴史は長い。

一方、オランダでもウナギを食べる。ご飯の代わりに、オランダでは白い柔らかいパンを使う。そのパンを半分に割ってサンドイッチを作るときと同じ要領で薫製のウナギを挟んで食べるのが人気のある食べ方だ。日本のウナギと比べると、ウナギ自体が大きいから肉厚で柔らかく、大味である。

オランダの街角に出ている屋台では、ニシンと並んでウナギの薫製があり、「ブローチェ・パーリング」（Broodje Paling）を注文するとその場でパンを切って、「ウナギの薫製サンドイッチ」を作ってくれる。そして、ウナギの薫製は温かく、ほくほくしている。ウナギをパンに挟んで食べるなんて、日本人としては妙な感じもするが、結構美味しい。ニシンに続いて、日本人にとっては馴染み深い食べ物だ。

ウナギの養殖は、オランダでは一九七四年から始まり、それこそ、「うなぎのぼり」に生産量が増え、二〇二一年の統計によると、ウナギの漁獲量・生産量は、欧州一である。

養殖は、オランダ人の手によってゾイデル海から淡水湖に変えられたアイセル湖で多く行われている。また、オランダ漁業財団によれば、オランダのあらゆる湖沼や河川でウナギを取っているということで、さすがは水の国オランダだと実感する。

海抜マイナス四・五メートルに位置するスキポール空港の南には、「アールスメア」(Aalsmeer) という大きな湖がある。「アールスメア」とは、日本語に直訳すると「ウナギの湖」となり、昔、ここでウナギが多く獲れたのだろうと想像する。

ウナギの湖「アールスメア」の近くには、世界の花屋として有名な「アールスメアの花市場」がある。花市場の建物そのものも世界一であるのみならず、毎日千八百万株を超える花と、二百万株の植物がオークションにかけられるという、その取引規模も世界一である。その量は、数を聞いただけはぴんとこないが、花市場の隅から隅まで自分の足で歩いて初めて、途轍もないほどの大きな取引が行われていることを実感する。

オランダに来て間もない頃、早起きをしてアールスメアの花市場へ行った。うまく正門が見つからず、卸売業者が出入りするような入り口から市場に入ったものだから、入場料金は払わずに済んだものの、どれだけ歩いても建物の壁面が見えない、そんな不思議な体験をした。少し不安になった頃に、観光客らしき人の姿を見てほっと胸を撫で下ろした。

その広さは、七十五万五千平方メートル。大きすぎて、その大きさは、またもやぴんとこない。アールスメアの花市場で働くオランダ人に、七十五万五千平方メートルという大きさはどれくらいなのかと聞くと、「サッカー競技場が百二十五個も入るほどの大きさだよ。広いでしょう！」と言われてしまった。サッカーの試合をそんなに観たことのない私にとっては、ついにはその大きさがピンとこなかったが、「サッカー競技場」を引き合いに出すところが、なんともサッカー王国オランダらしくて微笑んでしまった。とにかく、この花市場は広い。

サッカーは、オランダでは日本でいうところの野球に相当する、国民的なスポーツであり、「サッカー狂」と呼んでいいくらいの熱狂的ファンが多い。仕事でも、「ここ一番！」という大事なサッカー試合が昼間行われるとなると、病気になって会社を休むオランダ人が妙に多くなるのである。もちろん仮病だ。

仕事では困ることもあるが、少年のような心をいつまでも持ち続けて熱狂できるオランダ人を冷めた目で眺めながらも、少し羨ましく、また微笑ましく思う。


少し余談になったが、そのサッカー競技場百二十五個分の広さをもつ花市場では、週末を除いた毎朝六時半から九時半までの三時間、千八百万株を超える花と、二百万株の植物がオークションにかけられる。そのうちの八十パーセントがオランダ以外の国に輸出され、その日のうちに世界各国の花屋さんの店頭に並ぶ。

なんだか信じられないことだが、技術の進歩で世界は随分近くなったと思うと同時に、スキポール空港に近く、また欧州の心臓部に位置するという地の利を活かしたアールスメアの花市場の凄さを感じる。

このアールスメアでのオークションは、普通のオークションと違って、「ダッチ・オークション」と呼ばれ、「逆競り方式」で行われる。最高値から価格が下がっていき、一番早く高値で注文した人が落札するシステムで、この方式によって、時間短縮が図られ、迅速なセリを実現しているのだ。瞬時のうちに、買い手の席にあるボタンによって落札されていくのだが、その光景は、素人の私にとっては、目が回るほどの早さで、どのようにして買い手が「品物」

を瞬時に判断しているのかも不思議でならなかった。

　これらの新鮮な花々が、欧州はもとより、日本の花屋さんにも二十四時間以内に届けられることを考えると、アールスメアの花市場には「世界の花屋さん」という名前がぴったりだと思った。

　ウナギの湖「アールスメア」は、ウナギの住み処のみならず、世界中の国々に美しい花を届ける「花のキューピット」の住み処でもある気がする。

八. ホーム・ドクター制度　―亡き同僚を想う―

オランダに生活した五年のうち、ハーグに移って日本大使館勤務に就いてからは、私は継続的な緊張や肉体的疲労から、大きな仕事が終わるとほっとして高熱で寝込むことがしばしばあった。今から振り返れば、忙しいことを理由にきちんと食事を作って食べなかったせいも大いにあったと思う。人間も自動車と同じで、エネルギー切れでは走れない。

そんな時、大使館で一緒に働く仲間が「独り暮らしではベッドから起きて食事を作ることはできないだろうし、買い物にすら行けないだろう」と心配して、栄養満点の食事を運んでくれたりした。心から嬉しく、また有り難かった。

私は根っからの医者嫌いで、滅多に医者に行かないのだが、オランダでは、専門医にすぐに診てもらえないため、私の医者嫌いにますます拍車がかかった。

オランダの医療制度は日本と違って、耳が痛ければ「耳鼻科」、歯が痛ければ「歯科」、骨が折れたと思ったら「整形外科」へと自分の判断で勝手に専門の病院に行くことはできない。

まず、自分が登録しているホーム・ドクターの診察予約を取る。診察の結果、専門的な治療が必要だと判断された場合、ホーム・ドクターが専門医への紹介状を書いてくれる。しかし、予約もすぐに取れるわけではなく、病気が発生してから、専門医に診てもらい治療を受けるまでに、日本では考えられないほどの長いプロセスがある。私は、とても面倒なシステムだと感じてきた。

ただ一度だけ、私は苦しさのあまり、オランダのホーム・ドクター制度の枠を越えて、家の近くにある総合病院「ブロノヴォ病院」の救急搬送入り口で、「お願いだから診て欲しい」と懇願した経験がある。

「まずはホーム・ドクターに診てもらいなさい」と最初は断られたが、あまりの苦しさに泣きそうな顔をして「お願いだから……」と訴えたら、優しいお医者さんが出てきて診て下さった。

四十度余りの高熱が続いて、苦しさの余りの大胆な行動であった。

特別な処置をするわけでもなく、お医者さんからは「ゆっくり寝ていれば大丈夫」と言われただけで、ホーム・ドクターの診察と何ら変わりはなかったが、ほっとしてベッドに横になった。

病み上がりのある日、私はある仲の良いオランダ人の友人に、いきなり総合病院に行って、診察を受けたことを話した。彼女は私の話を聞き終わった後、こんなことを話してくれた。

「オランダ人の基礎体温は、平均して三十七度。三十八度の熱は微熱だから、仕事には行く。三十九度になると身体がだるく、四十度になると仕事を休んで休養する。ナオミは日本人だから、基礎体温は我々と違い、低いじゃない？　だから、四十度の熱といっても、身体の辛さが違う。その意味では、医者に基礎体温をきちんと知っていてもらうことが大切で、特に外国で一人暮らしているナオミにとっては、ホーム・ドクター制度を大いに活かして日頃からホーム・ドクターとコミュニケーションを計っておくことが大切なのだよ」

「ホーム・ドクター制度」は、オランダ社会でしっかりと根を下ろしている。身体的なことのみならず、精神的な悩みなども聞き入れ、大抵は長年に亘り友好関係にあるオランダのホーム・ドクターは、患者のバックグラウンドや生活環境を熟知した、家族の一員に限りなく近い重要な存在なのだ。

オランダから帰国して十年近くたったある日、悲しい知らせが入った。

オランダの日本大使館で一緒に働いたオランダ人の同僚が現役のままガンで亡くなったのだ。信じ難い知らせだった。

第一報はエチオピアで勤務している元同僚からで、続いてオランダや東京からも連絡が入った。オランダで時を同じくして働いた仲間は、世界中に散らばり、普段連絡を取り合うこともないのだが、このときばかりは、電子メールで情報を共有し、葬儀の供花を手配し、また一緒に働いた亡き仲間への想いを分かち合った。

亡き同僚のことを思い浮かべると、何よりもまず彼の優しい笑顔を思い出す。仕事でどんなに忙しいときも嫌そうにしている顔を一度も見たことがない。それは、オランダで一緒だった同僚も、また勤務時期は異なるものの、彼と働いた諸先輩方や後輩たちとも、その印象は驚くほど同じで、彼の温和な人柄と誠実な仕事振りが偲ばれた。

葬儀後、オランダからメールが届き、そこには在オランダ日本大使の弔辞（英語）も添付されていた。

「……ほんの2ヶ月前、貴方は毅然とした態度で私に話してくれました。自分が末期ガンであるということ、そして自分は手術を希望せず、ホスピスで痛みを緩和する処置のみを受けながら穏やかに最期を迎えたいと思っているということ……」（筆者日本語訳）

弔辞を読み終え、そしてこのくだりを読み返したとき、亡き同僚の冥福を祈りながら、彼は、彼のホーム・ドクターとどんなやり取りをしてこの決断に至ったのだろうと思った。

オランダは、安楽死を世界で初めて合法化した国としても知られる（二〇〇二年）。それを可能にしている大きな背景として、オランダの「ホーム・ドクター制度」の存在を忘れてはならない。

九．ロイヤルハウス

オランダは正式名称を「オランダ王国」という。ヨーロッパでは珍しく、「絶対王政」を経験していない、国としては共和国から始まった「王国」である。だからであろうか、ほかの王国とはちょっと違った特徴をオランダの王室は持っているような気がする。

長子に王位継承権のあるオランダでは、これまで三代続けて「女王」だったが、百年以上ぶりに国王が即位された（二〇一三年）。ウィレム＝アレクサンダー新国王陛下の誕生である。これに伴い、マキシマ妃には女王の称号が与えられ、国王ご夫妻の長子、カタリナ＝アマリア王女が王位継承順位第一位となった。

マキシマ女王は、もともとアルゼンチンの出身で、アルゼンチン・カトリック大学で経済学を学んだ後、一九九五年から二〇〇〇年、アメリカ・ニューヨークの銀行に勤務した。この期間は、余談だが、私がちょうどオランダ大使館に勤務した時期と一致している。また、マキシマ妃と同じ年にこの世に生を受け、オランダと縁があった外国人という点で、遠い存在でありながら、私自身は勝手に親近感を覚えている。
マキシマ妃は、二〇〇〇年、スペインのセビリアで行われたパーティーでウィレム＝アレクサンダー皇太子殿下（当時）と出会い、二〇〇一年にオランダ国籍を取得、二〇〇二年にオランダ王室に嫁いだ。オランダ語をいち早く習得し、現在、三人の娘の母である傍ら、経済学の知識を生かしてオランダ国内外で活躍され、国民の間でも高い人気を得ている。

また、ベアトリクス前女王陛下の夫君クラウス殿下（二〇〇二年逝去）は、隣国ドイツの外交官だった。ベアトリクス王女（当時）の結婚をめぐっては国内で大論争があった。第二次世界大戦後間もなくのことで、ドイツ軍に侵攻された悲惨な出来事がオランダ国民の記憶に鮮明に残っており、ドイツ人との結婚は国民の間では感情的に許されるものではなかった。しかし、クラウス殿下は結婚後間もなくオランダ語を完璧にマスターし、オランダに溶け込むための並々ならぬ努力をされ、その真摯な姿勢に、殿下に向ける国民の眼差しは大きく変わったという。

オランダに生活して、また仕事でオランダ王室のことについて見聞するにつれ、オランダ王室を三つの言葉で表現するとしたら、それは「気さくさ」、「慎ましさ」、そして「たくましさ」の卓越した王室であると私は思っている。

二〇〇〇年、ウィレム・アレキサンダー皇太子殿下（当時）は、日本の皇太子殿下（当時）とともに日蘭交流四百周年記念事業の名誉総裁に御就任されたことから、私は仕事で何度か拝見したり、スピーチを聞いたりする機会に恵まれた。皇太子殿下の低くてどっしりとした声に私は惚れ惚れしていたのだが、そんな皇太子殿下も国民との距離が近くて、親近感を感じさせる逸話がある。オランダ情報総局でプレスを担当し、皇太子殿下が出掛けられるときに随行するカンプ氏から、ある日こんな話を聞いた。

「皇太子殿下はスポーツマンで、いろんな大会に参加されているんだ。オランダ北部の十一都市を結ぶ二百キロの運河を走るスケート大会にも参加して、このときは女王陛下もスケートを観客する市民に交じって、皇太子殿下を応援されたのだよ。ニューヨークのシティー・マラソンなどにも参加されたけれど、そのときは、護衛の人たちが、マラソン大会の二カ月前から急遽トレーニングを始めて、皇太子殿下に随行していくのに大変だったけどね」

一九九八年六月、私は慈善活動の一環として開催されたガラ・コンサート&ディナーに参加する機会に恵まれた。オランダ王室が所有するヘット・ロー宮殿でのガラ・コンサート&ディナーであり、私は黒いドレスを新調して出掛けた。渋滞のなかをやっとの思いで到着すると、駐車場からは馬車が出ていて、森のなかを馬車で走り抜けて宮殿に向かうという、ムード満点な演出にわくわくした。

このコンサートは、赤十字社のための慈善活動であり、ベアトリクス女王陛下（当時）の妹君であるマルグリット殿下の夫君ピーター・ファン・フォレンホーベン氏による見事なピアノ演奏があった。そして続くディナーの席では、約百五十名の招待客が座る各テーブルをファン・フォレンホーベン氏ご自身が回られた。

「本日はよくお出で下さいました」と挨拶し、気の利いた冗談などで皆を笑わせながら、気さくにお話になられる様子に私は新鮮な驚きを覚えた。その様子は、まるで有名人歌手によるディナー・ショーそのものといった感じなのである。

あとで知ったことだが、ピーター・ファン・フォレンホーベン氏は熟達したジャズ・ピアニストでもあり、オランダの有名なピアニストと共演して、これまで多くの慈善活動をされている。それにしてもオランダ王室が、このような形で一般の人とふれあい、オランダ社会の慈善活動の一助を担われていることに大きな感動を覚えた。

「身近で親しみの持てる王室」というイメージがオランダの王室にはしっくりくる。

オランダは、「Dutch account」（割り勘）の精神が息づく国とよく言われる。平たく言えば「ケチな国」ということである。確かに無駄なことにお金を使わないという意味では、言い方を変えれば「ケチ」になるのかもしれない。オランダは決してそうでない面もたくさんあるが、総じて質実剛健な国であることには違いない。そして、オランダ王室も、「慎ましさ」を感じさせる質実剛健な王室であると私は感じている。

オランダ王室は、驚いたことに、ＫＬＭオランダ航空の株主でもあり、世界でイギリス王室に次いで「金持ち」だと一般に言われているが、その生活振りは質実剛健そのものである。

オランダ東部のヘルダーラント州には美しい森が広がっている。これは氷河期に氷の動きにより肥沃な土がこの辺り一帯に自然に堆積したことにより、オランダ西部では見られない幹の太い立派な木々が育ち、豊かな森が形成された。その深い森のなかに、十七世紀、総督ウィレム三世が狩猟のための別荘として建てられ、ウィルヘルミナ女王陛下が晩年過ごされたことで知られるヘット・ロー宮殿がある。この宮殿は、現在はいくつか一般公開されており、内部を見学することができる。

オランダに来て間もない頃、初めてこの宮殿を訪れたとき、フランスのベルサイユ宮殿をはじめとする、欧州諸国によく見られる宮殿を想像して行った私にとって、贔屓目に見ても「豪華絢爛」とは言い難いヘット・ロー宮殿には、少しばかりがっかりした。

宮殿の内部の柱や壁は一見すると素晴らしい大理石に見えるが、よく目を凝らしてみると、それは木の板に精密に描かれた大理石で、柱を叩いてみると、これもまた木の板の上に、実によく描かれた大理石であることが分かった。木造を大理石に見せかけるなんて感覚的に信じられなかったし、木造であれば木の良さをそのまま生かせばよいのにと第三者ながら余計なことを思った。

オランダに住んで四年半が経った頃、天皇皇后両陛下（当時）の御訪問を前にして、その御訪問場所の視察で再度ヘット・ロー宮殿内を歩いた。板に描かれた精密な大理石は芸術的見地から見れば極めて優れたものであることを、その後、オランダで活躍する、ある日本人女性建築家から学んだが、その柱や内装を眺めながらこんなことを考えた。

オランダは山がなく、石が採れないので、木造の宮殿にこうした芸術を施すことで補おうとしたのかもしれない。さらに大理石を他国から輸入することを考えず、「身近にあるもので賄おう」としたのかも、と。その現実的な感覚は実に鋭く、やはりオランダ王室は、オランダを代表する質実剛健な王室である。

また、天皇皇后両陛下（当時）の御訪問の準備会合で、「天皇皇后両陛下からベアトリクス女王陛下へのおみやげとして何が喜ばれるか」という日本側の質問に対して、ベーンチェス・オランダ王室府式部官長は、「ベアトリクス女王陛下は、どんなものでも喜んで受け取られるでしょう。女王陛下は特に芸術に関心があられますが、芸術作品を贈り物とされる場合には、『生きている』芸術家の作品しか受け取られません。既に亡くなられた芸術家の作品はあまりにも高価になってしまいますので、ご遠慮願いたいというのがベアトリクス女王陛下のご意向です」と答えられた。

ここにも、ゲストに対する心遣いとともに慎ましいオランダ王室を垣間見た気がした。

一九九七年五月、紀宮清子内親王殿下（当時）がオランダを三日間御訪問された。ライデン御訪問の際に、私は御乗用車に乗せて頂き、清子内親王殿下にライデンの街やオランダ社会について御説明申し上げる機会に恵まれた。

歳も僅かにしか違わない清子内親王殿下との会話を楽しみ、殿下の優しさや素晴らしさを随所に感じることができたことは、私の外交官生活の生涯の想い出となった。

この御訪問の最終日、殿下はオランダ王族とともにアイセル湖のクルージングを楽しまれた。

私はその間、船が到着する予定の湖畔で待っていた。

船が岸辺に近づき、舵を取る場所に、スカーフを頭に巻いた女性の姿が小さく見えた。誰が舵を取っているのだろうと目を凝らして見ると、それはベアトリクス女王陛下（当時）御自身であった。そのたくましさは圧巻であった。陛下自らが力強く舵を取られたことに大きな驚きを覚え、一瞬自分の果たすべき役割を忘れて呆然としていたことを覚えている。

今から振り返れば、ベアトリクス女王陛下が舵を取っておられる様子は、オランダの政治や経済に幅広く精通し、「オランダ王国の舵取り役」を担われてたベアトリクス女王陛下そのものので興味深い。

オランダでは憲法上、王室が、限られてはいるものの、政治に関与できる権利を与えられている。その最たるものが、組閣のために様々な情報を提供する情報提供者（informateur）を指名する権利を有していることである。州知事も市長も女王陛下による任命である。

二〇〇〇年二月、オランダのコック首相（当時）が訪日され、当時の小渕総理大臣との間で日蘭交流四百周年を迎えて一九九五年の村山談話の内容が再確認された。そして、その内容は文書となった。このことは、オランダで大きな反響を呼び、連日のように新聞紙上を騒がせた。

第二次世界大戦時における旧蘭領インドネシアでの出来事は、オランダにとっては、日本との問題だけでなく、三百五十年以上オランダが宗主国として植民地支配してきたインドネシアとの問題でもあり、同時に、旧蘭領インドネシアから引き揚げてきたオランダ人との問題でもある。これまで蓋をされていた箱が一斉に開かれた感があった。

オランダ政府は、戦時賠償問題については、サンフランシスコ平和条約（一九五一年）と日蘭議定書（一九五六年）で法的には解決済みとの立場を取っていることから、旧蘭領インドネシアから引き揚げてきたオランダ人にとっては、本国に戻ってきてから、自分たちの体験についてオランダ政府は耳を傾けてくれないという、厳しい状況におかれてきた。

そんな状況のなかで、二〇〇〇年三月十四日、ベアトリクス女王陛下（当時）は、戦争被害者団体の代表十三名をノールドエインデ宮殿に迎え入れ、ウィレム・アレキサンダー皇太子殿下（当時）とともに、二時間に亘り、彼らの話に耳を傾けた。二カ月後に日本から天皇皇后両陛下をお迎えするための準備の一環であることには違いなかったが、ここまで王室が対処なさること自体、画期的な出来事であった。

女王陛下自らが、日蘭間の問題であるとともにオランダ国内問題であるこの戦争の問題に、このような形で関わられたことは、誠実かつ果断な御判断であり、こぼれた水を吸い取るスポンジのような役割だった。そして、ここに「たくましき」オランダ王室を感じたのである。

新国王の誕生日である四月二十七日は毎年、「国王様の日」（Koningsedag コーニングスダッハ）として盛大にお祝いされる。

この日は、アムステルダムは、街中がフリー・マーケットとなり、骨董品からがらくたまでみんな思い思いの物を売り、もの凄い人で賑わう。オランダ王室のシンボル・カラーであるオレンジのシャツやオレンジの帽子を身にまとい、街はオレンジ一色に染まる。

どの街に行っても、この日は各家庭の屋根からはオランダ国旗に加え、王室のオレンジの旗が掲げられ、オランダ国民のオランダ王室に対する心が窺い知れるようである。

気さくで、慎ましく、それでいて、たくましいオランダ王室は、国民から敬愛されていることを随所に感じ取ることができる。

それがオランダのロイヤルハウスである。

十．年に二回のクリスマス

オランダではクリスマスが二回やってくる。ひとつは世界的に有名な十二月二十五日のクリスマス、もうひとつは十二月六日のシンタクラースである。

この十二月二十五日のサンタクロースは、アメリカに移住した移民が伝えたもので、オランダの伝承に他の伝承が混ざり、十九世紀のアメリカで「クリスマスのサンタクロース」が定着したことから世界に広まったと言われている。

オランダではこれまで何度か、クリスマスを一回にしようとの議論があったが、「子どものためのシンタクラースをなくしてはならない」という意見が強く、結果今日までオランダの伝統的クリスマスとしてのシンタクラースが祝われてきている。

毎年十一月第二週の土曜日に、セント・ニコラスが、お供であるズワルト・ピートを連れてスペインからアムステルダムやハーグ近郊のスヘヴェニンゲンの海岸に到着し、街をパレードする。オランダの子どもたちは、この到着の日を心から楽しみにしていて、大抵の子は小学校にあがるくらいまではシンタクラースの存在を信じている。子どもに夢を持たせるように、と

街を練り歩くセント・ニコラスとズワルト・ピート。シンタクラースのお祭りまで毎日街を練り歩く。

のオランダ社会全体の配慮が感じられて心が温まる。

シンタクラースは、セント・ニコラス祭の前夜（十二月五日）に、子どものいる家庭をまわり、一年間良い子であれば「プレゼント」を、そうでなければ「むち」を、つまりは叱責を与える。

アムステルダム国立美術館に行くと、十七世紀オランダの諷刺画家として有名なヤン・ステーンの絵「シンタクラース」があるが、この絵は、今日まで引き継がれてきた、このお祭りの様子を表している。

暖炉のある居間で、妹がシンタクラースからの贈り物であるお人形を大切に抱え、いかにも腕白そうなお兄ちゃんが泣きべそをかいて、おばあちゃんが子どもたちをあやしている絵である。「シンタクラースはちゃんと一年間の行いを見ていらっしゃるんだよ」というおばあちゃんの声が聞こえてくるようで、見ていて楽しい絵である。

一九九五年の十二月五日、私はオランダ人の友人六人とともにシンタクラースを祝った。セント・ニコラスがオランダに到着し、街が賑やかになる頃、いつものメンバーでカフェに集まった。六人の名前が書かれたそれぞれの紙切れをそのなかに入れて、じゃんけんで勝った順番にその紙切れを引いていく。誰を引いたかはお互いに秘密である。

十二月五日の晩のために、それぞれが、引いた名前の人の専属シンタクラースとなり、その人にピッタリのプレゼント「スプリーゼ」とその人へ贈る「詩」を考える。これは、結構難しい。

「スプリーゼ」は、すぐにはプレゼントが手に入らないように、工夫を凝らさなければならない。例えば、箱を開ければ、「テーブルの下を見なさい」という紙が入っていて、テーブルの下を見れば「回れ右をして、三歩前進して手を伸ばしなさい」との張り紙がある。やっとそれらしき包みを見つけたと思ったら、釘で頑丈に閉じられた箱だったり、という感じである。

そして「詩」は、その人の一年間の行いが分かるような内容のものを押韻して作る。

待ちに待った十二月五日の晩、みんながそれぞれのプレゼントを持って私の住むアパートにやってきた。

大きな袋のなかにそれぞれのプレゼントを交ぜて、ひとりずつ順番に自分に作られた「スプリーゼ」を開けていく。宝探しに似た感覚である。

私の場合、指示の書かれた紙切れに翻弄されながら、やっとたどり着いたプレゼントは、シンタクラースの歌が入ったビデオ・テープだった。そこには「シンタクラース」からの詩が入っていて、内容はこうだった。

「オランダにひとりでやってきて、半年がたった。たった半年でオランダ語を随分マスターしたナオミちゃん。よく頑張った。だから今日はシンタクラースからのプレゼントだよ」

六人の友人のうちの誰かが私のために考えてくれたプレゼントと詩であるが、誰が贈り主かは知らされない。あくまで、「シンタクラース」からの贈り物なのである。私にとっては、心温まるオランダ最初のシンタクラースだった。

日本を離れて約半年、日本が恋しくなる頃、オランダでできた親しい友人に囲まれて、私にとっての最高のオランダのクリスマスとなった。

そして、このお祭りは、毎年子どものために「スプリーゼ」と「詩」を考えなければならないオランダ人の大人にとっても、格別なものであることを私は身をもって体験した。

帰国後、結婚して二人の子どもに恵まれた私は、彼らがそれぞれ小学校を卒業するまでのクリスマスには、サンタさんからの「手紙」を必ずプレゼントに添えた。「サンタさん、ありがとう！」と空に向かって大きな声で叫ぶ子どもたちの笑顔は、忘れられない。私にとっては、シンタクラースの最高の贈り物だ。

十一・年越しの香り

大晦日と言えば、家族みんなでこたつに入って紅白歌合戦を見ながら、年越しそばを食べ、除夜の鐘を聞いて新年を迎えるというのが日本での我が家の慣習であり、元旦には、母の作ったお雑煮を食べて、近くの神社に家族揃って初詣をする。私は小さい頃からこうして新年を迎えて育ってきた。考えるだけでも、日本の年越しは味があっていい。

ところ変われば、また違ったその土地の慣習がある。オランダにもオランダ独特の年越しの慣習があって面白い。それは、心を落ち着けて平穏に迎える日本の年越しとは、百八十度違うもので、妙に勢いづいた年越しなのである。

オランダの大晦日の晩には皆、「オリーボレン」(oliebollen) を食べる。「オリーボレン」とは、リンゴのみじん切りやレーズンなどが入った、ボール状のおにぎり一個分くらいの大きさのドーナツで、オランダ人はこれに粉砂糖をたっぷりふりかけて食べる。日本の年越しそばに相当する、オランダの「年越しドーナツ」である。

美味しいには違いないのだが、さっぱりとした年越しそばとは違い、油と砂糖と小麦粉と三拍子揃ったカロリー満点のドーナツである。しかも夜更けに食べるとなれば吸収もいいから、美容の大敵でもある。

「まあ、一日くらい、いいかな？」と思って、私はオランダにいた五年間、大晦日には「オリーボレン」を食べ、オランダ人の友人とともにオランダの年越しを味わってきた（オランダでは、クリスマスは家族とともに、年越しは友人とともに迎えるのが一般的である）。

オランダに来て約四年半が過ぎ、いよいよ二〇〇〇年を迎えるという記念すべき年越しを私はオランダで迎えた。

その日、私はアムステルフェーンに住むオランダ人の友人宅に招かれていた。夕食後、テレビを見ながら、「オリーボレン」を頬ばった。ニュージーランドから始まった二〇〇〇年を迎える瞬間の模様をリレーで伝える番組に見入った。日本はというと、二〇〇〇年といえども、例年と変わらぬ除夜の鐘が放映されていた。日本らしくていいと思った。

オランダの年明けは、夜更けの静寂のなかで年明けを告げる、何とも鈍い日本の除夜の鐘の音とは違って、想像を絶するほどに豪快な花火の爆裂音で始まる。それは、シャンパンでほろ

新しい年を迎えた瞬間。冬の夜空いっぱいに花火があがる。

酔いになって、「このまま寝ると最高！」と思う頃合いに、一気に目が覚めてしまうほどの豪快さといえばお分かり頂けるだろうか。

オランダでは、個人が行う花火は、その大きさを問わず基本的に禁止されているのだが、大晦日だけ許可されている。唯一許された花火の日であるという、ある種の興奮と、新しい年を迎えるという喜びとが一緒になって、とんでもなく威勢のよい花火大会となる。ましてや、新しいミレニアムを迎えるということになれば、その興奮と喜びの大きさは言うまでもない。

私はテレビを見ながら、オランダの二〇〇〇年の幕開けはどんな感じだろうとわくわくした。私にとっては、二〇〇〇年は日蘭交流四百周年本番を迎える年であり、また、二十代最後の締めくくりの年であり、さらには結婚という新たな人生のスタート地点に立つ年である。あらゆる意味で節目の年を迎えるということで私は嬉しくもあり、また冬の空気のようにピンと張った心地よい緊張も感じた。

コンピュータ二〇〇〇年問題対策の一環で、私はプレス担当として年末年始にかけて携帯電話を持たなければならなかったので、頭の片隅で何も問題が起こらないことを固く信じつつ、年明けを待った。

皆の手にシャンパンが渡り、二〇〇〇年まで残り十秒になったとき、みんなで、「Tien, negen, acht, zeven……」（十、九、八、七……）と声を出してカウントダウンした。「ゼロ」に近づくにつれてみんなの声が興奮気味になり、私もロケット発射数秒前のカウントダウンのように、抑えきれないほどの興奮と期待感で声が大きくなった。

意外にあっけなく、二〇〇〇年はやってきた。やっぱり二〇〇〇年を迎える瞬間より、それを迎えるまでの緊張感と興奮がたまらなくいいと思った。「もういくつ寝るとお正月」という歌の真髄そのものである。

皆で乾杯したモエのシャンパンは格別だった。

オランダでは乾杯するときには「morgen」（明日に）と言って、杯を上げて互いに目を合わせながら乾杯するのが習慣である。いかにも未来志向的なオランダ人らしくて、私はこのオランダ流の乾杯の仕方が大好きである。二〇〇〇年を迎えたこの瞬間はさすがに、新しいミレニアムに乾杯した。

そうこうしていると、四階のマンションの窓の外では、次々に大きな音をたてて、冬の夜空に大きな花火が次々に上がった。それぞれの二〇〇〇年の抱負を花火に託すかのように、実に多くの美しい花火が連発した。その様子は、まるで日本の夏の花火大会が四方八方でやっているかのようで楽しかったが、けたたましいほどの爆竹の激しい音も聞こえ、火薬の独特の臭いと真っ白な煙が充満する過激な花火大会でもあった。

普段大人しいオランダ人が、糸の切れた凧のように激しくなるオランダの年越しは、花火で指を失う人がいるほど危険で恐ろしいものであるが、一年に一度の無礼講ということで、オランダの警察も目をつぶっているようだ。

オランダの年越しの香りは「オリーボレン」の揚がる香ばしい香りと花火の火薬の独特の臭いと言っていい。日本とは全く違う雰囲気だが、これはこれで楽しくて、私は、威勢のよいオランダの年越しは好きである。

明けて元旦、オランダ人は「初詣」はしないが、「初泳ぎ」をする。森鴎外がベルリンに留学中、オランダに遊びに来て「ここで見る夕日は欧州一の美しさだ」と言ったと伝わる、ハーグ近郊にあるスヘヴェニンゲンの海岸で、毎年恒例の「初泳ぎ」が行われる。

いくら北海に北大西洋海流という暖流が流れているといっても、冬の北海の水は凍るように冷たい。ここで「初泳ぎ」するオランダ人の気は到底知れないが、これも、大晦日からの勢いついでに北海で泳いでしまおうという馬鹿騒ぎの余興であるように思う。これもオランダでは楽しい恒例の行事のひとつとなっている。

そして、元旦翌日の二日からは、まるで何事もなかったかのように、オランダ人は仕事に戻り、勤勉で規則正しい生活が始まるのである。その変わりようは滑稽なほどに見事である。

十二．窓に生きるカルヴィニズム

オランダの街を歩くと、民家の窓が異様に大きく、かつ、よく磨かれていることに気づく。オランダには「窓は主婦の鏡」と言われる時代がかつてあったほど、窓拭きは主婦の日課であったという。

よく磨かれた窓を通して見えるのは、大抵、整然とした生活感の薄いモデル・ルームのようなリビング・ルームである。そして必ずと言っていいほど、いつも、きれいな花が飾られている。

数年前、アムステルダム市内の中心にある「ベギン・ホフ」で、観光客が家の中を覗いた上に写真を撮ったことがプライバシーに触れる問題として取りあげられたが、あんな夢のような美しい空間を写真に収めたくなる気持ちは、オランダ人でなければ容易に理解できる。

家族とともに最も多くの時間を過ごす部屋に大きな窓があるのは、太陽の恩恵に授かる日が少なく、長くて寒い冬を毎年迎えるオランダで、「採光」をうまく考えた造りであることは確かだが、夜にカーテンを閉めることなく過ごすのは、昔からのカルヴィニズム文化の名残である。それは窓を通して互いに監視する村社会であり、そこには、自分の行為の正当性を他にアピールしていかねばならない厳しい社会の掟が見える。

カルヴィニズムは、フランスの宗教改革者カルヴァンが唱えたプロテスタント思想であり、その思想は広くヨーロッパ各地に広がっていった。そして十六世紀中頃、オランダにもやってきた。

オランダ人は豪華絢爛でかつ教会が権力の象徴ともいえるカトリックよりも、カルヴィニズムを受け入れた。カルヴィニズムの思想がオランダ人の生活に合致した極めて合理的な信仰であったからである。

カルヴィニズムは、信仰の拠り所を「教会」ではなく、「聖書」に求めた。従って、人々は教会にわざわざ行って祈る必要はなく、家の小さな祭壇に祈りを捧げるだけでよかった。

そして、自由の気風を愛し、自由に商売をしてきたオランダ商人たちは、カルヴィニズムの思想に基本的な自由の価値やその源を見出したのである。

このカルヴィニズムの精神は、十七世紀、オランダを世界の海を駆けめぐる黄金時代へと導く、オランダ人のたくましい心意気の基礎となったのではないか。

大きな窓に息づくこの文化は、オランダ絵画にも見ることができる。十七世紀に生きた、デルフト生まれの画家フェルメールは、レンブラントやフランス・ハルス等と並んでオランダの巨匠として知られる。

フェルメールの残した作品は、今のところ三十六点と言われている。そのなかで、二点の風景画以外は、絵の中に大抵「窓」があって、当時の居間らしき空間が描き出されている。そして、窓の側で展開される市民階級の日常の一コマをしっかりと捉えている。

アムステルダム国立美術館にあるフェルメールの作品「牛乳を注ぐ女」や「手紙を読む青衣の女」の前に立つと、絵の中の、何の変哲もない日常の、静かでかつ平和な時の流れのなかに自分がそっと入っていくような気分になって楽しい。また、窓からさし込む光が絵の中の女をしっかりと捉え、その表情や動作から、絵の中の女性の心情までをも写し出すようで、見ていて飽きない。

カメラがなかった時代、カメラの前身となる「カメラ・オブスキューラ」という特別な装置を使って描かれたフェルメールの絵の中には、現代の観光客がオランダの民家の窓から中を覗いて撮る写真以上に鋭い観察力が生きている。

そして、フェルメールの絵の中に流れる静かな平和な時間は、今もなお、オランダの民家の窓を通して見える日常の中に感じることができる。

十三. オランダ流フレクシビリティー

オランダは、よく「陸の孤島」、「ヨーロッパのなかの中国」と評される。それは、ほかのヨーロッパ諸国の人々と比べてオランダ人の考え方がかなり変わっていることに由来するらしい。

だからなのか、オランダでの生活は、外国人にとっては快適すぎるほどに快適である。比較的安全な国であり、オランダ語を話せずとも、英語で何ら不自由することはない。

その他、何が変わっているのか、何が快適なのかを考えてみると、オランダには、「郷に入っては郷に従え」という外国人が生活する場合の大前提がなく、他人に迷惑をかけない限りは、自分の好きなように生活することができる。それがヨーロッパの他の国々と比べて大きく違うところであるように感じる。

それとは裏腹に、オランダ社会には、実に多くの細かい決まりごとがあって、オランダ人と結婚した外国人は、本当の意味でオランダ社会に入るために大きなハードルを乗り越えなければならない。

そんな一面もあるが、オランダには、オランダ独特の「オランダ流フレクシビリティー」があって、これがオランダという国を見事に動かしていると私は思う。

一九九九年五月、日本の外務省は日蘭交流四百周年の一環で、日本のNHKに相当するオランダのテレビ放送局テレアック（TELEAC）のテレビ・チームを日本に招待した。テレアックは二〇〇〇年、オランダで、四百年に及ぶ長くユニークな日蘭交流の歴史に関するドキュメンタリーを放映すべく数年前から準備しており、我が国にとっても、日蘭交流の歴史を広報する絶好の機会であると判断したことから実現した。

オランダでの窓口は大使館であり、私の担当となり、訪日及びドキュメンタリーの編集等に大きく関わった。

オランダでは、江戸時代から明治初めにかけての日本との交流の歴史を学校で習わない。しかし、江戸から明治初めにかけての日本にとって、オランダは、西洋の知識、情報、技術等を学ぶ媒体として非常に重要な存在であった。だから、日本で英雄となったオランダ人はたくさんいて、日本人なら、その何人かの名前を容易に思い浮かべることができると思う。

一方、世界の海を駆けめぐったオランダにとってみれば、当時の日本はたくさんある外国のなかの一国に過ぎなかったので、教科書でも日蘭交流の歴史が取り上げられない。当然といえば当然である。

その代わりオランダでは、一番現在に近い歴史として第二次世界大戦時の旧蘭領インドネシアにおける日本との関係を学校で教えている。

私がオランダに勤務していたとき、オランダには、対日道義的債務基金という、日本軍の捕虜となった人々の団体が存在していて、彼らの活動がテレビや新聞で報じられていたので、その歴史を日常のなかの「生きた過去」として感じることができた。

毎月、日本大使館の前で戦争被害者によるデモを見てきた私にとっては、身近な問題として考えさせられたのだが、残念なことに、日本で後者の歴史を知っている人は少ない。

そんな両国間にある日蘭交流史の認識ギャップを少しでも埋めることが「日蘭交流四百周年」の意義のひとつであった。私の場合、大使館広報文化の担当としてオランダ人を対象とした広報活動を行うことが任務であり、テレアックのプロジェクトは、その最たるものだった。

私自身にとっては、テレアックのプロジェクトは「オランダ流フレクシビリティー」を肌で感じる貴重な体験だった。

ドキュメンタリーを制作する過程では、テレビを通じての広報効果が大きいこと、また、扱うテーマが難しいことから、幾度も日本側とオランダ側で意見のくい違いが生じた。それは、ひとつの事実を取り上げるアプローチの仕方の問題だったり、インタビューのどの部分をメッセージとして取り上げるかという内容の問題だったりした。「ここは切ったほうがいいなあ」「やっぱりここは変えないと」という意見が大使館内で出てきて、私は調整役になるたびに、暗い気分になった。「すんなりとは行かないものなのだなあ」と。

テレアック提案の意見とかなり違う日本側の意見を伝えることは、私にとっては正直言って簡単ではなかった。言葉の問題というより考え方の相違をどこまで相手が受け入れてくれるかという心配が募った。誰だって何度もやり直しになれば、口には出さずとも「いい加減にして欲しい」と思ってしまう。

しかし彼らは、大使館側の考え方を真摯に受け入れ、一緒になってその解決策を考えてくれた。双方の考え方が百八十度違う場合でも、お互い中間地点での歩み寄りを試みた。そのオランダ流のやり方は実にうまい。私のストレスや心配をすっかり取り除いてくれた。

この仕事を通して、番組制作を担当したオランダ人と友達になった。彼女の名前はマリエット。ライデン大学歴史学科を卒業した、私より一歳年下の、同性の目から見ても大変魅力的な女性で、その後分かったことだが、奇遇にも私たちはライデンのクロックステーグ通りのはす向かいに数年間住んで勉強していたのだ。そのことを知ったときは、「クロックステーグ仲間だね」と、特別な親しみを覚えた。

番組の編集に目処がたった頃、マリエットとノールドヴァイクの砂浜を歩きながら、このプロジェクトを振り返った。そして、オランダ流フレクシビリティーが話題になり、彼女は次のように語った。

「オランダ人は、自分も含めて『問題』を『挑戦』として捉えるの。だから、何か問題が生じたときには、話し合いを通じて、自分も相手も損をしない、お互いの納得のいく地点を模索する。それが、オランダ人のフレクシビリティーかな。その意味では、オランダ人は前向きな人種かもしれないね」

「なるほど」と思った。そういえば、オランダ人は「ミーティング」が好きだ。誰が何を考えていて、どんな問題を抱えているのかをミーティングのなかできちんと話す。

私の親しい友人に、スキポール空港が位置する街ハーレマーメア市の市役所に勤務するポーリンがいる。

「スキポール」とは、日本語で訳すと「船の地獄」という意味で、空港の名前としては不吉な予感を感じさせる。この地区はもともと湖沼地帯で、よく船が沈んだと言われている。海抜マイナス四・五メートル地帯のこの地域は干拓によってオランダ人が造り出した土地の一部でもあり、これからの発展が期待される地域である。

そんな地区の市役所で都市計画を担当しているのがポーリンで、市民の憩いの場となる公園を新たに造るプロジェクトに取り組んでいる。彼女によれば、週に二、三回は、プロジェクト関係者が集まって話し合いをするのだという。

道路の建設や建造物のデザイン等が都市計画と別個である日本とは違って、オランダでは、道路、建造物、公園の構図等、全てを都市計画としてトータルに捉える。そして関係者が一堂に集まりミーティングを行い、様々な観点からコンセンサスを得て仕事が進んでいく。

時間はかかるが、皆が納得する道を模索し着実に進んでいくやり方は見事である。

オランダの政策にも、この「オランダ流フレクシビリティー」を見ることができる。

例えば、オランダの麻薬政策は、麻薬をヘロイン、コカイン等の人体への有害性の高いハード・ドラッグと、大麻、ハッシッシ、マリファナ等のソフト・ドラッグに区別して、ソフト・ドラッグについては、「ひとり一回につき五グラム」の限度を超えない個人の使用につき、販売と所持を「黙認」する政策をとっている。麻薬法上は、ソフト・ドラッグの販売及び所持は犯罪行為であるが、一定のルールが守られている場合には、ソフト・ドラッグについては訴追しないという政策である。

これは、他のヨーロッパ諸国では考えられないことであり、一時、ソフト・ドラッグの購入を目的としたフランスからの若者によるアムステルダム旅行がオランダとフランスとの間で外交問題にまで発展した。

しかしながらオランダは、この政策こそが麻薬による社会への害を最小限にするための現実的方法であり、実際にドラックを完全に禁止している他国に比べて犯罪率も低いという調査報告をもって、フランスの主張をはねつけた。

安楽死についても然りである。オランダではこれまで決して安楽死が「合法」ではなく、刑法上は「犯罪」であったが、一定の要件のもとでは訴追しないことが認められてきた（二〇〇〇年、一定の要件を満たした場合、安楽死を合法とする法案がオランダ下院で可決）。アメリカ人の父と日本人の母を持ち、オランダ人と結婚し、通訳家、翻訳家としてオランダで活躍されているジャネット・あかね・シャボットさんは、著書「自ら死を選ぶ権利」のなかでオランダ安楽死のことについて書いている。その本によれば、麻薬取引は犯罪であるが、麻薬中毒者は「病人」であって、「犯罪人」ではないという考え方がオランダには存在している。また、安楽死についても、オランダでは高齢化社会時代を迎え、高齢者が「尊厳のある死」を迎えられるようなシステムが必要であるとの基本的な考え方が根底にある。

二〇一七年の統計によれば、オランダの全死亡の四・四％、数にすると、六五〇〇人以上が安楽死を遂げている。

結局のところ「オランダ流フレクシビリティー」は、現実を直視し、問題をいかに解決すべきか考え、オランダに住む全ての人が幸せになるためにぎりぎりの地点まで妥協を許す、その寛容性を指しているように思う。そこにはオランダ社会の一定のコントロールが厳しく存在していて、それはあたかも、オランダが物理的に存在するための必須条件ともなってきた「水のコントロール」に似たものを私は感じている。

オランダが「陸の孤島」と言われる所以は、つまるところ、ダムを築き、干拓を繰り返し、自分たちの手で、自分たちの国を造ってきたオランダの特異な国の成り立ちの歴史に返っていくのかもしれない。

十四.「down to the earth」

オランダはある意味で平等精神の息づいた国である。もちろん、そうでない側面もオランダに長くいれば見えてきてしまうので、二重人格者のように全く違った要素を持ち合わせた国だと実感する。それはよく「オランダの二面性」と言われるが、そうであるが故に、つき合えばつき合うほど奥が深く面白い国だと私は思う。

オランダには高い山がなく、見渡す限り広い空と地平線や水平線が見える真っ平らな国だが、オランダの国そのものも、この平坦な土地のように、「平ら」である。

政治家も医者も教授も、社会的に高い地位を持つ人が、いい意味で偉ぶっていなくていい。

私がオランダにいた当時、オランダの政治家のトップであり、内閣を率いたオランダの首相は「コックさん」(Mr.Kok) だ。冗談ではない。「料理人」と覚えてしまえば、一度聞いたら忘れない名前である。そして偶然にもオランダ語で「コック」(kok) とは、日本語でいうところの「コック」であり、「料理人」を意味する。

ところで、日本で使われる「コック」はオランダから入ってきた言葉だということをご存知だろうか。一八五三年、ペリーが日本に来航し、アメリカとの関係が深くなっていくなか、鎖国時代、オランダ語を通して西欧の近代技術や知識を「蘭学」という形で学んでいた知識人たちは、もはやオランダ語の時代は終わり、英語の時代となったことを認識していた。

緒方洪庵の適塾で蘭学を学び、慶應義塾大学の創始者として有名な福沢諭吉もその移行期にあって、時代の流れをいち早く察知した者のひとりであり、「夫れから以来は一切万事英語と覚悟」（『福翁自伝』）して独学で英語を学んだ。

戦後、アメリカ軍が日本に駐留して、「料理人」のことを「コック」ではなく「クック」(cook)であると日本人に教えたが、オランダとの長くて特別な関係を二百五十年以上維持した背景を大切に思った日本人は「いや、コックはコックです。私たちにはオランダと長い関係がありましたから」とアメリカ人にきっぱり説明したという逸話が残っている。

というわけで、コック首相は、人柄もさることながら名前までも親しみやすく、オランダで、三党連立の第二次内閣を率いた。そんな立派な人も、全く偉そうにしないところがオランダ人だと思う良い一例が、コック首相の訪日（一九九六年）の際にオランダ外務省の官僚から聞いたこんな話である。

「普通、閣僚級の大臣が外遊するときには、スキポール空港内に設けられたＶＩＰ専用の部屋で出発直前まで待って、ＶＩＰ専門の引率者が飛行機のゲートまで連れていく。コック首相の外遊も然り。

オランダでは休憩のときに必ずといっていいほどコーヒーを飲むからＶＩＰルームにはコーヒーの自販機が用意されているの。コック首相はね、自らコーヒーの自販機の前に立って自分でコーヒーを入れる。

これはオランダではごく普通のことだけど、日本大使館から空港に見送りに来ていた外交官たちは皆目を丸くして驚いていたよ」

日本では、首相ともなれば、待ち時間があれば、おしぼりを用意したり、お茶を出したりと至れり尽くせりの、きめ細やかなまわりの配慮があって当然で、それが日本での「自然体」である。「心配り」という点では、私は日本人の誇るべきことであると思うが、オランダでは、「自分のことは自分でやる」ことが「自然体」であり、この場合、コック首相はコーヒーが飲みたいからコーヒーの自販機の前でコーヒーを入れたのであって、これがオランダでの「自然体」なのである。

オランダでは親切な人や親しみやすい人のことを形容して「アールダッハ」（aardig）と言う。コック首相は、まさに「アールダッハ」な典型である。

「アールダッハ」は、英語では「down to the earth」と訳すことができる。オランダの土地のように限りなく平坦な、平等の精神を表す言葉だ。

一九九九年六月、欧州の北の果てアイスランドで日・北欧サミットが開催された。このときの我が国の総理大臣は、今は亡き小渕総理であった。

私は外国プレス担当としてオランダからアイスランドの首都レイキャビックへ一週間出張し、日・北欧サミットに関わった。一日中太陽の沈まぬ白夜の季節、近隣諸国の日本大使館から集まった同僚らと「サミットを成功させる」というひとつの目標のもと、一丸となって気持ちよく仕事できたことは、私の外交官生活のなかで最高の想い出のひとつである。

アイスランドは、世界地図を開いて、ノルウェーのフィヨルド海岸から西へ西と眼を移すとグリーンランドのすぐ東に位置する。アイスランドは、欧州で最も人口密度の低い国であり、総人口はなんと三十八万人強である。人間の手の付いていない荒々しくも美しい自然がなんとも魅力的である。

夏には白夜を、冬にはオーロラを楽しめる地として、また、火山と漁業の国として知られているのがアイスランドだ。日本から見れば全く地球の反対側に位置するこの国には、我が国は「ししゃも」で大変お世話になっている。

そして何よりも、一九八六年、レイキャビックで開かれたレーガン、ゴルバチョフ米ソ両首脳による歴史的な東西サミットは有名である。ワシントンとモスクワのちょうど中間に位置することから、この歴史的なサミットの場としてレイキャビックが選ばれたのだ。


故小渕総理はサミット出席のため、レイキャビックに三日間滞在された。

小渕総理はもとより、総理に随行する幹部の先輩役人にも、最も快適な状況でサミットに臨んで頂くため、きめ細やかに配慮し、完璧に準備するのが我が国のサミットへの臨み方である。

ノルウェーからやって来た同僚は、この欧州の果ての島国アイスランドまで炊飯器とお米を持ってきた。そして、おにぎりをにぎり、お新香とお味噌汁を添えて小渕総理が滞在されたホテルの部屋にそっと差し入れした。

これはほんの一例に過ぎないが、我が国の代表としてサミットに臨まれる小渕総理大臣を想っての配慮である。
こんな行き届いた配慮ができるのは日本人ならではであり、この心配りの素晴らしさを私は日本人として誇りに思う。そして、見事なほど完璧にものごとを運ぶ、緻密な準備と連携プレーは、オランダ人をはじめ、多くの外国人に絶賛されている。

日・北欧サミット共同記者会見の席では、小渕総理大臣は背の高い北欧四カ国の首脳と席を並べながら「アイスランドには三十年以上前、学生時代のときに来たことがあり、実に懐かしく……」と会見を始めた。
多くのプレスを前にして緊迫した空気が漂うなか、その切り出し方は実に見事で、人をどこかでほっとさせる、肩に力の入り過ぎない自然体の小渕総理大臣にはどこかオランダの「コックさん」と共通する「アールダッハ」な側面が感じられ、なぜか嬉しかった。

「down to the earth」の精神は水との戦いを強いられ、自分たちの土地を皆で協力して創ってきたオランダの歴史のなかで生まれたものだと私は思っている。それは、地位の高い人もそうでない人も、生きるために自分たちの土地を守るという点では、その立場は同じだということである。

その精神は人々の誇りとなり、美徳となり、オランダ社会の目に見えない規範として人々の心に生き続けているのだと私は感じているし、そんなオランダが私は大好きである。

他方、日本人の行き届いた配慮はオランダでは生まれ得ない、日本独特の、形なき美しさであり、日本人として心から誇りに思う。

オランダの「down to the earth」の精神は、私に、その奇異なほどのオランダの特質について考えるきっかけを提供してくれた。そして、オランダを通して、母国日本について考えることも教えてくれた。

それは究極のところ、「down to the earth」の文字通り、「earth」（世界）に繋がる、つまり世界を観ることに繋がる、高貴な精神であることを教えてくれた、私にとっては忘れることのできないオランダの精神である。

十五．正直であることの美徳

オランダでは、とにかく「正直であること」がよしとされていて、これがオランダ社会の規範となっているから面白い。


春の訪れを感じ、太陽が暖かみを帯びてオランダの土地を照らすようになると、オランダでは、街のカフェの外に軒並みテラスが出る。そしてテラスでは、人々がビールやコーヒーを手に、ひまわりのように太陽の方向に向かって座り、通り行く人を眺めたり、本を読んだりして長い時間を過ごす。

それは気分転換に最適であると同時に、太陽の光を充分に浴びるという、ヨーロッパ北部のオランダで健康に生きるための必要な行為でもある。

思い思いの時間をテラスで過ごした後は、テーブルの上に飲食代と心ばかりのチップを置いて、ウェイターを煩わせることなくそのまま帰っていくのである。

その光景を初めて眼にしたときは、「テーブルに置いたお金を誰か横取りしたりはしないだろうか」とか「本当に正しい金額を払っているのかしら。極端なケースになれば、さっとどこかへ行ってしまえば、ひとり分くらい分からないだろうから、ただで飲んでいる人もいるのでは？」と他人事ながら、はらはらしたものだ。

結果から言えば、オランダ人は、きちんと代金を払って帰っていく。当たり前といえばそれまでだが、凄いことだと思った。

スーパー・マーケットでは、野菜や果物はパックに入っているものは少なく、必要な野菜や果物を自分で好きなだけ取って、近くにある秤にかける。そして、秤に載せた野菜や果物の種類のボタンを押すと、その目方に応じて計算された値段のシールが出てくる。それをレジで自己申告してお金を払うシステムとなっている。

確かに、必要な分量は人によって異なり、生鮮食品は早く傷むから、このシステムには、無駄がない。その上、トレイやパックを使用しない分、家庭のゴミが減り、環境にもやさしく、企業にとってもパックやトレイに包装する手間が省けて、一石二鳥以上の素晴らしいアイデアだ。

しかし「ピーマンを買うのに、例えば安いトマトのボタンを押してごまかすことだってできるし、小分量のピーマンを量ってシールを貼った後、こっそりピーマンを足してレジに行くこともできるが、ごまかす人はいないのかしら」と不思議に思ったものである。
ピーマンに付いている「へた」をきれいに取り除いたあとに秤に載せる人は、ごくまれに見かけるが、オランダ人は総じて自分の買った野菜や果物は責任をもって、その代金を払って帰っていく。

五年間オランダで生活して感じたことは、オランダ人は、良くも悪くも、嘘をついたり、人をだましたりすることができない国民なのかもしれない、ということである。オランダの日常生活では、ある意味で正直であることが当たり前のこととして社会の基盤となっているように感じる。

仕事においても然りである。例えばオランダで「これはね、貴方だけにしか教えない特別な情報ですから、然るべき時期が来るまで絶対貴方限りで留めておいて下さい」と言ったらあっという間に周りに広がるものと覚悟したほうがいい。そして、オランダ外務省の官僚も、「これはね、オランダ外務省ではまだ内緒のことなんだけどね……」と言って、そのことをとにかく人に言いたくてたまらないという顔をして、楽しそうに話し始めるのである。
官僚としてこんな姿勢でいいのだろうかと疑問にさえ思うこともあるが、オランダの生活に慣れてくると、オランダ社会だからまあ仕方ないかと半分諦めに似た気分になる。

良いことも悪いことも全て、自分の得た情報は秘密にせず、みんなで「シェア」しようとするのがオランダ人である。五年間オランダで彼らと仕事をしたり、プライベートで時間を共にしたりしたなかでの私の結論だ。

それはそれで隠し事のない、気持ちのよい社会だが、あまりにも全てが筒抜けで、戸惑うことも多々あるのは否めない事実である。

こうした気質は、オランダの大航海時代から、航海のリスクも、そしてその利益もみんなで「シェア」してきた、その精神が今もなおオランダ社会で生きているかのようで興味深い。現にオランダは経済の分野において、パート・タイム制の導入をはじめとして、仕事をみんなで分け合う「ワーク・シェアリング」の見事な発想によって、八十年代の「オランダ病」と呼ばれた大不況から立ち直った。大成功を収めた、その「ポルダー・モデル」は、世界中から注目を浴びることとなった。

これらに代表される「シェアリング」文化の根底には、正直であることの美徳があるように感じるし、それは、カルヴィニズム文化の伝統の要素も少なからず関係しているのかもしれない。

オランダでは、暗くなっても通りに面した窓のカーテンを閉めないので、家のなかの様子は丸見えである。大抵は、花が美しく飾られた整然とした居間が窓の向こう側に見え、家族の幸せそうな団らんの様子が窺える。

窓が異様に大きく、夜になってもカーテンを閉めないというこの慣習は、村で互いを監視しあう厳しい掟でもあるが、逆にいえば「自分たちは悪いことはしていません」と自己アピールするための手段でもある。

このように、オランダでは全てに対し「自」と「他」をあけっぴろげに「通わせる」ことにより、見事に隠しごとのない社会ができあがった。そして、この慣習は今も脈々と生きていて、「正直であることの美徳」が不思議なほどに、ごく自然に日常生活のなかに溶け込んでいるのではと思うのだ。

「自分」に対しても「他人」に対しても、どこまでも「正直である」オランダ人は、その言動に気持ち良いほど裏表がない。時には、そのあまりにも正直な言葉に傷つくことさえあるが、慣れてくると、徹底して正直であるオランダ人に妙な愛着や信頼感を覚え、いとおしい存在にさえなってくる。

そしてまた、何よりも憎めないのが、「向こうが正直に何でも言うのだから、私も多少は言ってもいいのかしら」と思って、正直に自分の意見を言ったりすると、時として、大きなオランダ人の小さな心をひどく痛めることになってしまうということである。

そんな正直で、また、ある意味で無邪気なオランダ人が私は大好きである。

十六．オランダ的自由の気風

オランダは、皆で協力して水から自分たちの生活を守っていかねばならない環境にあったことから、国が成立する以前から協力体制の整った村や共同体が存在していた。そして「共和国」の時代を経て、一八一五年に「王国」になったが、同時期の他のヨーロッパ諸国のように、絶対王政の打倒という「革命」で勝ち得なければならない民主主義的自由な空気は、オランダにはもともと存在していたため、オランダで「革命」を起こす必要はなかった。

スペインの悪政に耐えかねて独立戦争はしたものの、オランダ国内で独裁政治が行われることはなかったのだ。オランダにはもともと、独裁者の存在を許さない原理があるような気がする。

オランダ人は水害から我が故郷を守るとか、貿易船にかかるリスクをシェアするとか、ひとりでは到底対処できないことについては、柔軟に考え、皆で協力してきた。歴史的に見ても、オランダは基本的に平等で自由な個人の営みというがっしりした基盤の上に「オランダ王国」という国の存在がある。

しっかり地に足がついた市民社会であると私は思う。

一六四八年、オランダが、八十年に亘るスペインとの独立戦争を経てオランダ連邦共和国として成立したとき、アムステルダムは勝利の喜びに沸いた。そしてその祝賀の一環として、アムステルダムに新市庁舎を建てた（一六五五年）。だから、この建物はオランダ黄金時代の象徴でもある。このアムステルダム市庁舎は、ダム広場の一角にあり、今は「王宮」として機能している。

十八世紀終わりから十九世紀初めにかけて、オランダがフランスの占領下に置かれた時代、ナポレオン・ボナパルトの弟ルイがオランダを治めたが、このとき市庁舎を自らの邸宅として「王宮」に変えてしまった。ついでにダム広場にあった計量所も「窓からの眺めが悪い」とのわがままな理由で壊してしまった。その後現在まで同じ状態を保っている。というわけで、今日ダム広場に立つと、ルイが割と気に入っていたダム広場の景観そのままを体験できる。

ダム広場に面した王宮の入り口には、同じ大きさ、同じ形の七つの扉がある。

これには、スペインからの独立戦争で結束したオランダ北部七州が「平等に」その入り口を持つという意味が込められていて、当時、オランダの代名詞でもあったアムステルダムの心意

アムステルダムのダム広場に面した王宮。夏の間は王宮内部の一般公開が行われている。

気が感じられる。

また、夏の期間しか一般公開されないが、王宮の中心部にある「市民の間」に入ると、十七世紀のアムステルダム黄金時代の空気を感じることができる。

この「市民の間」に入ると、大理石の床一面が、見渡す限り大きなひとつの世界地図になっている。この世界地図には当時知られていた世界中の国々が描かれている。それを自分の足で踏みしめながら確かめることができるのだが、大きな世界地図の上を歩くと、世界の海を制覇した時代に生きたオランダ人の誇りを感じることができる。

中世の頃からハンザ同盟にも加盟せず、独自の判断と方法でオランダ商人たちは世界を相手に自由に商売をしてきた。敵国スペインに武器を売って一儲けした商人の話も残っているほどだが、自由な商売をするためのインフラ整備にはひときわ気を遣った。

それは、政治的な安定であり、海の平和であった。海洋における平和を念頭におき、それを具体的に法の形で秩序化しようとした国際法の父、グロチウスがオランダから輩出されたのも自然の成り行きであるといってもいいのかもしれない。

外国に住み始めるときに、「郷に入っては、郷に従え」と、異なる環境に馴染むために覚悟するものだが、オランダという国は、覚悟を決めてやってきた人にとっては、ちょっと拍子抜けしてしまうかもしれない。外国人にとってオランダほど住みやすい国は世界中探してもないかもしれない、と思うほど、居心地よく暮らすことができるのだ。

オランダは多民族国家で、実に多くの国籍を持つ人々によって成り立っている。それだけに他の文化や価値観を広く理解し、それを受け入れる社会的な基盤があるように思う。

だから、オランダに「外国人」としてやってきても、それほど大きなカルチャー・ショックに悩まされることなく、自分のやりたいことを自由にできる。周りは、迷惑さえ及ばなければ、寂しくなるくらい放っておいてくれる。街を歩いていても「外国人」として扱われることはまずない。

一九九五年の初夏、ライデンで自分のアパートを探して歩いていたとき、背後から車がやってきて、オランダ人がいきなりオランダ語で私に道を聞いてきた。ライデンに到着して数日の私が知るよしもない。

「私が『外国人』って見れば分かるだろうに……」と内心思ったものである。

ライデンでは毎週二回、街の中心に大きな青空市が立つ。ここに買い物に出れば、オランダ人と扱いは全く同じで、オランダ語で話しかけられる。まずは、オランダ語を習得するためにライデンにやってきた私にとっては最高の環境ではあるが、少しでも言葉に詰まると、驚くほど早く英語に切り替わる。

何の疑いもなくオランダ語で話しかけられるのは、自分がオランダ社会に入れてもらったようで、私は何となく嬉しかった。その一方で、オランダ語が「たどたどしい」と判断されるとすぐに英語に切り替わってしまう。だから、最初の一年間は、英語に切り替えられて、心がちょっと傷つけられても、笑顔で「英語は分からない」と言ってオランダ語で頑張り通した。

オランダ統計局によれば、オランダの全人口は約一七八〇万人（二〇二三年）で増加し続けているが、国内の出生率が下がり気味な傾向にあるなかでの人口増の要因は、移民の増加によるものと分析されている。

歴史的には、オランダは国の繁栄のために外国人を歓迎してきた。地理的には西にフランス、東にドイツという大国に囲まれた小国であり、日本と同じ貿易立国であるから、自分の国を他国に開いてやっていくしかなかったのではあるまいか。

そんなオランダで、外国人は悠々自適に暮らしている。

外国人がオランダに六年暮らすと、オランダの永住権を取ることができて、同時に市議会議員選挙の参政権が与えられる。

外国人も住んでいるからには身近な政治に参加すべきであるとの考え方がここには生きている。驚くことに外国人の市長さえもいる。

オランダ社会で生きるとなれば、眼には見えないオランダ社会の様々なプレッシャーや約束事はあるが、基本的に「自由」を愛し、それを大事に守っていく、そしてその枠組みのなかで「他」を尊重する精神の浸透した国であると私は思っている。

オランダは、オランダ独特の自由の気風を持つ国である。

十七．カトリック文化

オランダは、ちょうど九州くらいの大きさのところに、千八百万人の人が住んでいる国である。国土も人口も日本の約十分の一に過ぎない小さな国だが、地域によって驚くほどに言葉やメンタリティーが違う。

特に、オランダ南部のノルトブラバント州やリンブルフ州は、アムステルダムやロッテルダムをはじめとする主要都市を含むオランダの北部とはかなり違って面白い。

歴史を紐解くと、十六世紀、オランダが「八十年戦争」でスペインからの独立を勝ち取るために誓い合ったユトレヒト同盟（一五七九年）はオランダ北部七州の間で結ばれたのだが、南部のノルトブラバント州やマーストリヒトを含むリンブルフ州は引き続きスペイン領となった。そんな歴史もあり、オランダのなかには珍しい、カトリック文化圏が存在する。

オランダ人の親友ロブは、マーストリヒト近郊で生まれ育った。敬虔なカトリック信者であり、毎週日曜日には教会へ行く。以前、ロブの実家にお邪魔したとき、私もロブの両親とともにカトリック教会へ行ってミサを聞いた。オランダ全国で無宗教化が進んでいると言われるなか、教会いっぱいに人が集まったのには驚いた。また、マーストリヒト近郊を車で行けば、交差点を通過する度にその角にはマリア像やキリスト像があり、自分がカトリック文化圏にいることを実感する。

カトリック文化圏の食事は一般的に美味しい。その代表的な国としてはイタリアやフランスがある。オランダでは、イタリアやフランスのようにはいかないが、リンブルフ州にはご当地自慢のお菓子が存在する。それは、パイ生地に苺や季節のフルーツをふんだんにのせた「リンブルフセ・フラーイ」だ。甘さ控えめな上品なパイ・ケーキで、なかにはフルーツの代わりに御飯をカスタードと混ぜ合わせた「お米のフライ」もある。変わってはいるが、日本人の口にもよく合って美味しい。

また、「go Dutch」（割勘にする）に象徴されるように、お金に細かいと言われるオランダ商人のメンタリティーは、南部のリンブルフ州には存在しない。南部では人のもてなし方が独特で、レストランやカフェで友人に御馳走したり、御馳走されたりする光景は日常茶飯事である。

マーストリヒトには、市内に三百六十五軒のカフェがあり、一年を通して一日に一軒、違ったカフェで友人との会話を楽しめるようになっているという。これも南部リンブルフ州の州都であるマーストリヒトならではの気の利いた配慮で興味深い。

毎年二月、マーストリヒトの街は「カーニバル」で大変賑わう。この行事は、復活祭の四十日前、キリストが荒野で断食したことを偲んで肉を絶つ期間（四旬節）を迎える前に、肉を食べて楽しく遊ぼうというものだ。「カーニバル」とはそもそもラテン語で「carne vale」（肉よ、さらば）が語源となっていて、マーストリヒトでは、大人から子どもまで皆仮装して「カーニバル」を楽しむ。

私もこのカーニバルを見に再びマーストリヒトを訪れた。親子でお揃いのクマの恰好をしたり、身体の大きなおじさんが可愛いトラの衣装をまとったりして楽しむオランダ人たちの姿があった。実に愉快なお祭りである。

オランダの二月は春の訪れを告げるクロッカスの花が人の目を楽しませてくれるが、まだまだ寒さが身にしみる季節で、外では三十分もじっと立ってはいられない。カフェに入ってビールを飲んだり、外に出て音楽に合わせて踊ったり、とにかく、その日マーストリヒトにいる人

みな思い思いの仮装をして、カーニバルのパレード集合場所へ向かう（マーストリヒトにて）。

全てが主役となって、仲良くみんなで楽しむのである。よそ者の私も自然と仲間に入って踊ったり笑ったり、最高に楽しい一日を過ごした。ラテンの国に似たオランダの一面を垣間見た気がした。

オランダのなかのカトリック文化は、実利主義で清貧を重んじるカルヴィニズムの精神が息づくこの国で、真面目すぎて息が詰まりそうになったときの「息抜きの場」として特別な役割を果たしているように思う。リンブルフ州の州都マーストリヒトが、オランダのなかで「文化とレクリエーションの都」と銘打っているところにも、その重要性を感じることができるのだ。

十八・結婚するということ

私がオランダに住んだ五年の間に、オランダの結婚式を二回経験した。ひとつは、ライデン研修時代からのオランダ人の友人の結婚式で、もうひとつは、日本大使館の仲間の結婚式だ。

オランダの結婚式は、日本のようにホテル内のチャペルや神殿での結婚式ではないし、また欧州の他国のように、教会で挙げることも少ない。多くは「市庁舎」で結婚式を挙げて、その後、簡素なレセプションをレストランや自分たちの家で行う。

日本で「市庁舎」つまり「市役所」といえば、書類の山が積まれて、職員が地域市民のために淡々と事務をこなすところであり、贔屓目に見ても、「市役所」に洒落たイメージを当てはめることは難しい。公務員の職場に市民の税金の多くを使って贅沢な造りにするわけにはいかない、との配慮があるのだろう。

その点、オランダの「市庁舎」は街の立派なシンボルであり、外観も内装も凝っていて、見ていて楽しい。それは一種の芸術である。そして、オランダの「市庁舎」には必ず「結婚の間」があり、若いカップルが新しい人生のスタートを切るのにふさわしい空間が用意されている。

愛し合う二人が誓い合うのは、神様の前ではない。リアルな社会生活の象徴ともいえる「市庁舎」で、儀式を担当する公務員の前で誓うのである。神様の前で誓うより、とても現実的な感じがしてオランダらしいと思う。

オランダでは、「サーメンヴォーネン」（samenwonen）を経ることなくして結婚するカップルはいない。「サーメンヴォーネン」とは、日本語で「同棲」を意味する。「同棲」というとあまり聞こえはよくないが、私は多くの「サーメンヴォーネン」するオランダ人の様子を見てきて、それは「同棲」というよりもむしろ「共同生活」という言葉のほうがしっくりくると感じている。

私のオランダ人の親友エミとイサは、私がライデンに来て半年くらいして恋に落ちた。仲の良い友達同士から恋愛に発展し、周りで見ていた私たちにとっては驚きではあったが、とても微笑ましかった。そしてあるとき、「サーメンヴォーネン」することを友人や家族に知らせて

「共同生活」を始めた。

「結婚生活」とは、好きな人と共に暮らす喜びはもちろんあるに違いないが、毎日がバラ色であるはずはなく、基本的には現実と向き合った生活である。

いくら好きでも、育った環境や価値観が大幅に違えば、何十年も一緒に生活することは大変難しいことだと思うし、死ぬほど好きな人でも、一緒に住んでみないと見えない側面はあり、ホットで、ロマンチックな「恋愛」から、いきなり自分の一生の伴侶を決めることは賭け事に等しいとも言える。

そんな状況を解決するのが、「だったら、一緒に生活して試してみようか」と「共同生活」を試みることであり、これが「サーメンヴォーネン」なのである。

オランダらしい現実的な考え方がここにも生きていて、オランダ社会で「サーメンヴォーネン」することは、ごく普通のことなのである。

「サーメンヴォーネン」で一生送っても何も支障はないわけだから、オランダでは、「一緒に生活してみて、やはり、この人と正式に結婚して、共に人生を歩んでいきたい」と結婚することは、実に大きな意味を持つ。

イサとエミの場合もそうだった。なぜなら結婚するとなると、法的な義務が発生するのに加え、式やパーティーの開催にお金や手間がかかる。しかし、「それでも正式に結婚して、みんなに祝福されたい」というのが、イサとエミの結婚の動機となったのである。

夏の晴れたすがすがしい昼下がり、イサとエミは仲良く手をつないで、オランダにいる在留邦人の多くが住む、アムステルダム郊外の街アムステルフェーンの市庁舎に現れた。

エミは、お母さん手作りのジャワの衣装を身にまとって、純白の美しいランの花を髪に挿し、こぼれそうな幸せな笑みを見せてくれた。エミの両親はスリナム出身だが、今は亡きおじいちゃん、おばあちゃんはジャワ出身で、エミはオランダで育った。

式が始まった。「結婚の間」で二人は手と手を取り合った。

お祝いに駆けつけた世界中からの親族や友人が二人を見守るなか、二人のそれぞれの生い立ちや出会いが紹介され、そして二人は誓った。お互いを人生の伴侶とすることを。

エミは実に美しかったし、エミより三つ年下のイサも真剣なまなざしが印象的でとても凛々しかった。

皆が見守るなか、市庁舎側が用意した紙に結婚した二人と互いの証人が署名した。同時に証人は「ファミリー・ブッキェ」という、結婚した二人がこの世を去るときまで持つことになる「家族手帳」にも署名する。この「ファミリー・ブッキェ」は、二人の間に子どもが生まれたらその旨記載されていく大切な手帳である。

この手帳の表紙には、街の紋章が刻まれていて、地域社会と個人がしっかり繋がっているという印象を私は受けた。

式はほんの二十分程度で終了した。その後、結婚した二人の前に長蛇の列ができて、ひとりひとり「おめでとう」の挨拶を交わした。和やかで素晴らしい結婚式だった。


日本では結婚に際し「御祝儀」を渡す習慣があるが、オランダでは特にそういった習慣はなく、大抵は二人のために何かプレゼントをする。結婚する二人の親友のひとりが、前もって彼らにプレゼントとして何が欲しいかを聴取して、プレゼントにダブリがないように、また、本当に欲しいものが彼らに渡るように調整係の役割を果たすのだ。

プレゼントとしてお金がありがたい場合には、結婚式の招待状の片隅に封筒のマークを書いておく。そうすれば、プレゼントとしてお金をもらうことを期待できるのである。極めて合理的なやり方である。

オランダの結婚で面白いと思うのは、結婚式を挙げる一週間前の週末、結婚する二人はそれぞれ別行動をすることだ。

それぞれが友人とともに独身最後の一日を堪能するのである。これも親友のひとりが調整係となり、友人に声をかけてアレンジするのである。妙な格好をして楽しそうに男性は男性、女性は女性だけで楽しんでいる姿を街で見かけたら、それは独身最後の友人の集まりと思って間違いない。

「サーメンヴォーネン」しているのに、独身最後の日があるのもどうかと思うが、この行事をすることによって、「本当に結婚するのだ」という気持ちを高めるのかもしれない。一種の通過儀礼でもある。


そして私が経験したもうひとつの結婚式は、大使館で働く派遣員の結婚式である。

大使館には「派遣員」という制度がある。これは外務省の外郭団体である国際交流サービス協会から二年の契約で世界各国の日本大使館に派遣され、その任地で大使館業務の補佐役として活躍する。大使館にとっては、なくてはならない要の役職である。

由緒あるハーグの旧市庁舎で、多くの仲間が見守るなか、挙式は行われ、引き続きハーグの中心部にあるレストラン「ハウデ・ホーフト」(Goude Hooft) で素敵なレセプションが行われた。オランダ王室御用達のデパート「メゾン・ド・ボナテリー」のちょうど向かいにあるこのレストランは、昔旅籠であった建物を改造した、実にユニークで楽しいレストランである。

大使館の若手の仲間とともに「ああでもない、こうでもない」と言いながら手作りウェディングのお手伝いができたことは最高に楽しい想い出のひとつである。

二人はハーグで知り合い、ハーグで恋に落ちた。そして、オランダ流に一年間、ハーグで「サーメンヴォーネン」をして結婚に踏み切った。四カ月後には日本に戻ることになっていた二人にとってハーグは何物にもかえがたい想い出深い場所に違いない。

結婚リングの内側には、「Den Haag」の文字が刻まれていた。「普通は結婚記念日とイニシャルを入れるよね？」と仲間のなかでも話題になったが、私は、オランダでの想い出を大切にしていきたいという気持ちをその「Den Haag」の文字に感じることができて、素晴らしいアイデアだと思った。

二人が式を挙げたハーグ旧市庁舎の「結婚の間」は、オランダの王族も式を挙げた場所だという。当日二人の結婚の儀を担当したいかにも優しそうなオランダ人の女性が、式に入る前に私たちに説明してくれた。

王族も「市庁舎」で結婚式を挙げる。しかも、のちに女王陛下となるような立場の王族でさえも、市民が挙げる「結婚の間」で挙式するのだ。正直言って驚いた。

非常に開かれた、親しみやすいオランダ王室であることは前述の通りだが、ここまで王室が市民社会の一部だという実感を持てる国は他にないように思う。

オランダは歴史的に見て、建国の父オレンジ公ウィリアム一世の時代から、いい意味で「君臨すれども統治せず」の体制で成り立ってきた国である。

王は「総督」として、「統治せず」にカリスマ的存在として存在してきた。独裁政治は決して行われなかった。世界のなかで最も早く民主主義社会が成熟した、「王国」でありながら最も「王国らしくない」国がオランダであると私は思う。

そのひとつの表れが、王室と市民との思いがけないほどの自然な接点であり、王族も平民も同じようにして、市庁舎の「結婚の間」で永遠の愛を誓い合い、新しい人生のスタートを切るという点である。

このとき、オランダ連邦共和国時代の伝統は今も脈々と生き続けていると改めて感じた。

十九．自由と寛容のうつわ

オランダは自由と寛容の国と謳われる。

それは、コスモポリタンの精神を持ち、自由な思想を重んじた、オランダ人の誇りであるエラスムスの思想と合致することから、それになぞらえて「エラスムスの国」とさえ言われる。

ＥＵ本部の所在するベルギーの首都ブリュッセルの街を歩くと、多くのＥＵグッズを売る店が並ぶ。その店には、大抵、ＥＵ加盟国それぞれの国をうまく皮肉った文句が書かれた、面白い葉書が売られている。その文句は、「イギリス人のように紳士であり、フランス人のように機械に強く……」と続いて、「オランダ人のように寛容であり」となる。よくオランダ人を観察した鋭いコメントであると、その葉書を見るたびに私は感心した。

オランダは、歴史的に見ても、特に「他」の思想や「他」の宗教を広く受け入れ、「他」に対して「寛容」であることによって、「国」として成り立ってきた。オランダは、ただでさえ、水との戦いを強いられる厳しい自然環境であるうえに、ごく限られた天然資源しかない。

「わざわざ生活環境の厳しいところに住まなくとも近隣にはもっと豊かなところもあろうに」とつい思ってしまうが、オランダ人は、この厳しさのなかで、自分たちの力で自分たちの土地を創り、技術や知識をもつ外国人を幅広く受け入れ、自由に商売し、見事に国を繁栄させてきた。だから、「国」として「他」に寛容であることにはそれなりに気を遣ってきたかのように私の眼には映るのである。

オランダがこれまで政治難民を多く受け入れてきたことや同性愛者に対する理解が進んでいることにも、脈々と生き続けているオランダの伝統を感じるのである。

私の友人に、コンサルトヘボー・オーケストラのチューバの音色が忘れられず、大手企業を辞職し、同オーケストラのチューバ奏者の弟子入りするためにオランダにやってきた音楽家がいる。

夢を追いかけて辞職することは今の時代ではそんなに珍しいことではないが、彼がオランダに来た一九九四年当時は日本人としては実に珍しいことであり、夢に賭けるロマンを感じたことを私は鮮明に覚えている。

そんな彼がオランダでの様々な体験を通して、「オランダは良くも悪くも好きだ」と言って、現代に見るオランダの寛容性の一面を語ってくれたことが印象的で忘れられない。

オランダの政治都市であるハーグの街の中心には、賑やかな中華街がある。日本海軍の創設者のひとりとして、また、幕末、函館の五稜郭に立てこもって官軍と戦ったことで知られる榎本武揚が幕末留学生として住んだのもこの中華街の一角である（一八六一年オランダ留学、一八六六年帰国）。そんな歴史をもつ中華街の入り口の一角にあるレストラン「金船」で飲茶を楽しみながら彼は語った。

「私がアムステルダムの家を借りるときに、私は『ホモ』にされたよ」と彼は口火を切った。何を言い始めるのかと興味津々と私は次の言葉を待った。

「オランダでは、市役所に住民登録するとき、家を借りている場合には、それを証明する大家からの賃貸契約の証明書が必要で、これなしには住民登録はできない。ところが、アムステルダムで合法的な賃貸契約ができる貸家は、探すのに苦労するほど少なく、多くは『ブラック』で家を貸している。だから、大抵の人、特に外国人は『ブラック』から借りるしかない。

私もその例に漏れず『ブラック』から家を借りた。『ブラック』で商売をしている大家はもちろん賃貸契約の証明書などは書けない。しかし、誰かに貸さない限り儲けにならないからうまい方法はないものかと考える。

一方、この国は、結婚していなくとも、『パートナー』として、結婚しているカップルと同じ待遇を受けることができる。それは男女のカップルでなくとも、同性愛者に対しても全く同じ。だから、私の大家は自分に直接、『こうすれば大丈夫だから』と言って、大家と自分が『パートナー』の関係にあることを書いた手紙を持ってきた。

いわゆる『ホモ』の関係だね。

大家とパートナーの関係にあるということは、大家の持っている家に私が住んでいてもおかしくないからね。疑心暗鬼でそれを持っていったけど、市役所では問題なく受け取ってもらえたよ、『ホモ』としてね。

手段はどうであれ、私は晴れて家を借りることができたし、大家は家賃を手にすることができた。お互いウィン・ウィンの関係というわけだ」

普通では考えられない発想だと私は思ったが、この場合、オランダの同性愛者に対して寛容である面をうまく利用することで、非合法的なものも合法的にしてしまうというトリックがある。

オランダでは、「alles mag」（全てできないことは何もない）という言い回しがあって、確かに、麻薬をはじめとして、禁止されてはいるのだが、現実には行われているということが多々ある。

これらに代表されるオランダの社会システムを「寛容」と解釈するか、「いい加減」と見なすかは人それぞれであるが、私は、良くも悪くもオランダ社会のシステムに存在する「遊びの部分」と捉えている。

自動車のペダルに「遊びの部分」があって、あらゆる意味において「緩衝」として重要な役割を果たしているように、このオランダの社会システムに見る「遊びの部分」こそが、オランダをオランダたらしめている寛容のうつわであり、オランダにとって極めて重要な役割を果たしていると思う。

オランダの社会心理学者であり世界的に有名なホフステ教授は、世界の国を「男性的社会」と「女性的社会」に分別しているが、オランダは女性的社会に属するとしている。

「男性的社会」は、物質的な達成に大きな価値を見い出す社会であることが特徴であり、他方、「女性的社会」は平等、協調に大きな価値を見い出す社会であると主張する。例えば、アメリカや日本は「男性的社会」の典型例であり、「成績で一番になること」、「商売で儲けること」

等に大きな価値を置く。それに対し、オランダやデンマークをはじめとする「女性的社会」においては、「自分の能力を最大限に発揮すること」、「友人と協力できること」等に価値を置くと彼は述べている。

「男性的社会」が「弱肉強食」の社会であるのに対し、「女性的社会」には社会的に弱い立場の人をとことん助けるという優しさが存在するとホフステ教授は言う。「個」のマインドに対して、「グループ」としてのマインドが強いのも「女性的社会」の特徴である。

ホフステ教授の説に立つと、オランダは、母親が我が子を必死に守り育てていこうとする力強い母性本能と、弱い者を無条件に温かく包み込む、女性特有の包容力に似たものが宿る国なのかもしれないと思うし、これがオランダの寛容のうつわとして私の眼に映るのかもしれないと考えさせられる。

オランダは、合理性をとことん追求する実利的な国である一方で、理性だけでは通用しない女性特有の優しさを持つ国でもある。

二十．風車　―自然を生かす知恵―

どこまでも続く平坦な土地に風車は実に良く似合う。現在、オランダには九百五十基もの昔ながらの風車が残っており、モノトーンな景色のなか、広い空とどこまでも続く地平線の境にあって、風のリズムに合わせて舞う「華」がオランダの風車なのである。

オランダの風車は、もともと十字軍の遠征の際に中東の地で回っていた風車を見たオランダ人が「これはいい」と言って、そのアイデアをオランダに持ち帰ったことに端を発する。

オランダといえば、「風車」と共に「チューリップ」を連想するが、そのチューリップも、もともとはトルコから持ってきたものである。因みにトルコの国花は「チューリップ」である。

そう考えると、オランダを象徴するものは、見事なほどにオランダ以外の国から入ってきたもので、「発明」というよりむしろ、ものを見て「応用」することの得意な日本人と共通して

いて親しみを覚える。

ロッテルダムから南東約十キロのところに、キンデルダイク（Kinderdijk）という小さな村がある。日本語に直訳すると「子ども堤」という意味の大変可愛らしい名前で、私はこの名前を聞くと、堤防にできた小さな穴に自分の小さな指を入れて、オランダを水害から守ったオランダ人少年「ハンス・ブリンカー」の物語を思い出す。この物語はアメリカの女流作家（Mrs. Mary Dodge）によって書かれたフィクションであるが、水と仲良く付き合っていかねばならない宿命の国オランダと祖国を守っていこうとするオランダ人の愛国心が感じられ、ハンス少年が主人公となるその物語の着想が「子ども堤」にあるような気がして楽しい想像を巡らすことができる。

「子ども堤」には、十九基の風車が並んでいて壮観である。ノールド川と風車以外は何もないこの「子ども堤」の景色はオランダを代表する景色そのもので私は大好きである。

毎年夏の終わりのほんの一週間あまりの短い期間、キンデルダイクは夕暮れ時からライトアップされ、実に美しい姿を見せてくれる。

それはあたかも、美しくて短い花の命を愛でる日本の夜桜のような楽しみ方で、どこからともなく人が集まり、ライトに照らされて美しく浮かび上がる風車を眺めながら、静かなノール

ユネスコ世界遺産に指定されたキンデルダイクの風車群の一部（キンデルダイクにて）。

ド川沿いの砂利道を散歩するのである。風情があって実にいい。

一九九七年、このキンデルダイクの風車群は、ユネスコの世界文化遺産に指定された。たまたま一九九八年に日本から国際会議のためにオランダに出張してきた文化庁の役人から、キンデルダイクの風車群が世界文化遺産に指定されるまでの経緯を聞いて実に面白いと思った話がある。その話を紹介したい。

「オランダについてはね、風車を是非とも世界文化遺産にしようという動きが前からあったのだけど、ギリシアを始めとする古代の優れた文化を誇る国々からは、例えば、ギリシアのパルテノン神殿のような歴史的な建造物とオランダの風車を一緒にしないで欲しい、とか言われて大変だったのだが、君はどう思うかね？」

キンデルダイクの風車群がユネスコの世界文化遺産に指定されるまでに、結構いろいろな国から反対があったのだろうと、現実問題としてありそうな話で面白いと思った。意見を求められたので、私はこう答えた。

「確かに、古代からの歴史と文化を建造物に残すギリシアやイタリアのような国からすれば、国の誇りである古代の建造物と一七四〇年頃に灌漑用として使われたオランダの風車とを一緒にされるのは嫌でしょうね。そもそも歴史の長さが違いますからね。

でも、オランダの歴史は水との戦いの歴史であり、国土の四分の一が海面下にあるオランダで、北海から吹きつける強い風を利用して風車を回し、国土の水位を常に一定にコントロールしてきた歴史は、実に素晴らしいものだと思います。オランダ人の自然を生かす知恵が風車に集約されていて、世界の文化遺産として残すのに値するものだと思います」

オランダで世界文化遺産に指定されているものは、文化遺産が十一件、自然遺産が一件（二〇二三年時点）である。その多くが不思議なほどに水との戦いの歴史に関わる遺産で、やはりオランダの遺産は、水との戦いのなかに見ることのできるオランダ人のたゆまぬ努力なのだと思う。

最初に指定されたオランダの世界文化遺産は、ゾイデル海の干拓プロジェクトによって半島から島へ、島から干拓地の一部へ変貌した歴史をもつスホックラント（Schokland）という土地である（一九九五年指定）。特別な建造物があるというわけでなく、ただオランダ人の造った土地の一部が世界遺産となった。

一八七〇年頃までは約一万基あった昔ながらの風車も、現在では約九百五十基となってしまったが、一九七〇年代に入って、モダンな風力発電風車がオランダの水辺に登場した。風の力で発電エネルギーを供給するこの白い風車は、先人の自然を生かす知恵を応用した新たな発想であり、環境に優しいエネルギーとして世界中から注目されている。

オランダにおける電源に占める再生エネルギーの割合は、二〇二二年に四割を超えた。そして、再生エネルギーをけん引するのはモダンな風力発電風車である。今後、北海大陸棚における洋上風力発電を拡大していく計画が発表されている。

純白の風力発電風車も「必要」から生まれた知恵であるが、オランダ国内のみならず、世界で応用が利くこの発想は、ケース・スタディーとして今後世界に貢献していくことと思う。そう考えるたびに、これらの原点ともいえるオランダの昔ながらの風車は、後世に残していくにふさわしい、讃えるに値する世界人類の遺産であると私は確信するのである。

二十一・日本のなかのオランダ「ハウステンボス」

長崎という土地はオランダと大変ゆかりが深い。長い鎖国時代、唯一の窓口として、世界からものや情報を得ていた「出島」があって、そこで「商売をする」目的で滞在していたのがオランダ人である。オランダ商館が平戸から長崎・出島に移ってから（一六四一年）、開国（一八五九年）までの二百年以上に亘り、我が国は出島を通じて世界を知り得た。だから、日本の近代化を語るとき、長崎・出島、そしてオランダを抜きにしては語れない。

そして、オランダにとってもこの時代の長崎・出島は、いい商売の拠点としてあっただけでなく、歴史的に見ても、長崎・出島を忘れることのできない、面白い事実がある。

オランダの国の歴史のなかで、「オランダ」という国が歴史から消えた短い時代がある。それはオランダが完全にフランスに併合され（一八一〇年—一八一三年）、オランダの植民地であったバタビア（現在のインドネシア・ジャカルタ）がイギリスに占領された（一八一一年—一八一五年）年の重なる、ほんの数年の期間である。

「オランダ」という国が存在しなかった時代、オランダの国旗が世界中で唯一空に翻っていた場所が長崎・出島なのである。

世界の海を駆けめぐっていたオランダにとって、長崎・出島は、世界中にある貿易拠点のうちの一貿易拠点に過ぎないことも手伝ってか、この話を知っているオランダ人はあまりいない。だから、この「オランダが存在しなかった数年」の話をすると、オランダ人は目を輝かせて喜び、オランダにとって「東洋の貿易の拠点・出島」が、更に深い意味をもって、「ニッポン・デジマ」を想うのである。

外務省には、外国人記者を始めとする外国メディア関係者や世論に大きく影響を与えるオピニオン・リーダーを十日ほどの日程で日本に招待し、より深く日本を知ってもらおうという招聘プログラムがある。私が広報の仕事をしていたとき、このプログラムで多くのオランダ人に日本を見て頂いたのだが、日程計画のなかには、必ず長崎が入るようにしていた。それは、長崎の街に残る日蘭交流の歴史を肌で感じて欲しいという願いとともに、「日本のなかのオランダ」を見て欲しいと思ったからである。

ハウステンボスにはオランダに行かずとも、オランダを心から感じることのできる、夢のある素晴らしい空間が広がっている。アトラクションが楽しいとか、建物がきれいといった表面的な素晴らしさだけでなく、オランダという国が持つ合理性や不毛な土地から国を築き上げていった智恵がハウステンボスには生きている。テーマ・パークの枠を遙かに越え、オランダのエッセンスが奥深く凝縮されていて、私は初めてハウステンボスを訪れたときの感動を今でも忘れていない。

ハウステンボスの建設は、もともと草木も育たないような不毛の土地に計画された。生命の息づかない土地から、人の手で自然を創り出していこうという大きな挑戦がここにある。ハウステンボスではこんな風に案内された。

「パーク内の木はみんなまだ小さいでしょ？この土地は、大村湾に面した、もともと工業

ドムトールンから見た長崎ハウステンボスの様子。

団地用の造成地で、何もない、不毛の土地から出発したという経緯があります。

ハウステンボスは、オランダに学び、長い目で、人間が自然と共生する未来の街づくりを目指しています。今はまだ人間が手を加えた自然の香りがしますが、運河には魚が棲み、木には小鳥たちが自然に集う、そんな環境が五十年後に整うことを願っています。

あらゆる面で環境づくりに配慮していて、雨水が地中に吸収されやすいように舗装も煉瓦や自然石の間に砂を敷き詰め、地中でろ過されて、きれいな水が運河に流れ込むようになっています。また、パーク内で使用された汚水は、処理過程を経てトイレの洗浄や植物の散水に再利用されています。大村湾に流すときもきれいな水にして流す等、環境に配慮しているのです。

ハウステンボスは、未来の街づくりがどうあるべきか、ひとつのケース・スタディーとしての面を備えているのです」

厳しい自然と常に向かい合ってきたオランダは、人間が自然と調和していく大切さを心得ている。そしてその術をどこの国よりも早く具体的に見せてきた環境先進国だと私は思う。その意味で、限られた資源の地球で、その資源を合理的に活かし、いかに私たちが生きていくべきかをこれからも示し続けてくれる、そんな国がオランダである。そんなオランダの、素晴らしくも実現するには難しい具体的な試みがハウステンボスで行われていることに私は大きな感動を覚えると同時に、なんだか嬉しかった。

　招聘プログラムを終えてオランダに戻ってきたオランダ人に、ハウステンボスの印象を聞くと、オランダ人は決まってこう始める。

「なんだかオランダにいるような気分でしたよ。（オランダ国内で山が見えるところはないので）パーク内の街並みを歩きながら、山が見えることがなんとも不思議でした。それにしても、本当に素晴らしいテーマ・パークで感激しました」

　その感動の意味は、単にオランダそっくりの街並みが正確に再現されているというだけでなく、それ以上に合理的で、オランダに倣って人間と自然の調和の仕方を模索しようとしている、ハウステンボスの意気込みに対する敬服の念も感じられた。

　未来環境都市のあり方を示そうとしているハウステンボスは、多くの人に感動を与え、地球上での人の生かされ方についてふと考えさせてくれる、そんな場所でもある。

　またいつかハウステンボスを訪れたい。

二十二．柔道家ヘーシンク

一九六四年、東京オリンピックで神永昭夫五段を破り、無差別級の優勝を果たしたヒーロー、アントン・ヘーシンク（二〇一〇年逝去）。日本を心から愛したオランダ人のひとりである。

オランダでは、武道は大変盛んで、柔道、剣道、空手道、合気道など日本で修行したオランダ人が中心となって活発に活動している。中学のときからずっと剣道をしてきた私にとっては、そこに日本を感じることができて大変嬉しかった。

ライデンの研修時代には、オランダ人の友人とともに剣道の防具を担いでロッテルダムまで電車で通ったものである。片道電車で三十分、駅から徒歩十五分のところに道場はあり、週に一回オランダ人の先生の指導のもと稽古に励んだ。

驚くべきことは、オランダ人の稽古に励む真剣な姿勢であり、実に礼儀正しく、心身を錬磨するという武道の真髄を心得ていることである。日本人以上に日本人らしいと思うことがしばしばあった。

ヘーシンク氏もそんな人のひとりだった。

ヘーシンク氏を日本で一躍有名にさせたのは、伝説の九分二十二秒の勝利、つまり、東京オリンピックでの優勝後の礼儀である。

試合終了後、対戦相手の日本チーム監督に対して「センセイ、アリガトウゴザイマシタ」と日本語で一礼し、監督は「オメデトウ」とヘーシンク氏の手を握り返したという話は有名である。武道の基本でもある「礼」を身につけたヘーシンク氏の真の柔道家精神がここに表れていて、何度聞いても素晴らしい話だと感心する。

柔道を通じて日蘭交流の促進に貢献したヘーシンク氏の功績が讃えられ、一九九七年春の外国人叙勲で、アントン・ヘーシンク氏は勲三等瑞宝章を受章し、同年七月にハーグにある大使公邸で叙勲の伝達式を行った。

私は、そのとき光栄にもヘーシンク氏の介添えの役割を担うことになり、叙勲伝達式当日はヘーシンク氏の一番近くにいることができた。大変身体の大きな方で、ヘーシンク氏の後ろに回ると、前の様子が全く分からない。また、ヘーシンク氏の背後から前に回ろうとすると、何歩も歩かないと前に回れず苦労した。

勲章には通常、受章者の首にかけるようにリボンが付いている。ヘーシンク氏は身体が大きいので首まわりも当然普通の人以上あった。彼の首まわりは五十七センチ。当然ながら特別注文で長目のリボンを用意しなければならなかった。

リボンを用意するときには「ヘーシンクさんの首は女性のウエストと同じくらいの太さなんだねえ」と広報文化班のなかで大きな話題になったものである。

彼の隣に並ぶと、私などは子ども同然である。話をするときには、私は精一杯上を見上げ、彼は首をうんと傾かせて話さねばならない。実に落ち着いた優しい感じの方で、当日のほんの数時間接しただけでもヘーシンク氏の温かい人柄を感じることができ、この日彼の一番近くにいさせてもらったことがとても嬉しかった。

叙勲伝達式には、ヘーシンク氏のお祝いに当時オランダのスポーツ大臣であったエリカ・テルプストラ女史も駆けつけた。テルプストラ大臣は、朗らかで親しみやすいと定評のある、オランダ国内で人気の政治家である。

彼女は、一九六四年、ヘーシンク氏とともに東京オリンピックに水泳選手として出場し、銀メダルを獲得したスポーツ・ウーマンでもある。ライデン大学日本学科と同じ建物にある中国学科を卒業されたテルプストラ大臣は、この晴れの日に、日本語でもお祝いの言葉を述べられた。東京オリンピックでメダルを勝ち取った喜びを共にした同胞「アントン」に対する心のこもった、気の利いた挨拶であった。

ライデン大学日本学の教授もこの席におられたことから、「センセイノマエデハ、キンチョウシマスガ……」と挨拶を始められ、叙勲伝達式に集まった多くの日本人を驚かせた。

ヘーシンク氏は、一九三四年、中世の教会が点在する美しい街ユトレヒトに生まれた。五年間に亘るドイツの母国占領を経験し、終戦後、十二歳で建設労働者となった。荒廃した国土再建のなかで、「働くこと」が若きヘーシンク氏にとって、好む、好まざるとにかかわらず、唯一の選択であった。

ヘーシンク氏のそもそもの柔道との出会いは、彼が十四歳のとき、サッカー試合の合間に見た柔道のデモンストレーションで、その頃から道場に通って心身を錬磨した。

そのことは、大使館で広報文化を担当する一外交官として仕事に対して大きな励みになった。

広報文化担当とは、任地に於いて、「日本」をできる限り広報して紹介していくのが仕事である。私の場合、オランダで日本経済についての講演会を主催したり、日本の伝統文化を伝える文化事業を行ったり、「現代の日本」を伝えるために、オランダの大学へ出向いて講演したり、オランダの子どもたちに、奥は深いがその基本を簡単に教えることができる頭脳スポーツ「囲碁」を通して日本の文化を紹介した。

また、オランダのテレビや報道関係記者と会って、特に日蘭交流四百周年記念事業と絡めて日本をアピールし、実際に彼らを日本へ招待したりもした。

実に幅の広い、決して飽きることのない楽しい任務である。

そして、柔道や剣道のデモンストレーションも主催してきた。

一九九八年秋に大使館が中心となって行った日蘭交流四百周年記念事業のひとつ「ハーグ日本月間」では、ハーグ市内にある十八世紀からの立派な教会で畳を敷いて、柔道、剣道、合気道、居合道のデモンストレーションを行った。

ハーグ市には、旧蘭領インドネシアから引き揚げてきた戦争被害者の約七十五パーセントから八十パーセントが住んでいたので、日蘭交流四百周年記念事業をハーグで行うことは、ほかの街で行うのと意味が違うため、違った緊張感が漂った。

このデモンストレーションの会場で司会のマイクを持ちながら、私はある人の姿に気づき、とても幸せな気分になった。

それは、旧蘭領インドネシアでの戦争被害者の姿であり、日本政府に補償を求めて活動している戦争被害者の団体「対日道義的債務基金」のラプレ会長の姿であった。

彼は、戦争被害者の仲間に声をかけて最初から最後まで最前列に座って日本武道のデモンストレーションをじっと見守り、笑顔で応援して下さったのである。

ある意味で日本に対峙する関係にある方がこうして大使館主催の日本紹介事業を応援して下さることはこの上ない喜びであり、今でもそのときの感動を鮮明に覚えている。私にとっては特別な想い出のひとつである。

教会での武道のデモンストレーションというと、大抵の人は「教会で演武するなんて罰があたるのでは？」と心配するが、オランダではプロテスタント系の教会は、無宗教化の影響もあり、従来のミサを行う等の機能を失っていて、講演会やオープン・マーケット等の「人が集う場」として素晴らしい機能を果たしている。日本で言う「公民館」のような役割と言っていい。

私が研修時代を過ごしたライデン市内にある「セント・ピーターズ教会」は、オープン・マーケット等のみならず、大学の学期ごとの試験会場にもなる。

ベルリンからライデン大学医学部に留学していたドイツ人の友人カトリンは、教会での試験が終わるたびに、教会から歩いて数秒のところにある私の家に寄ってお茶を飲んで疲れを癒していったものである。

彼女は「教会で試験なんてきっとオランダだけだよ。本当に変だよね」とよく漏らした。ライデン大学医学部の学生については、教会での試験が異様に多かった。

教会で試験される学生は気の毒と言えば気の毒かもしれない。神様の眼の届いたところでは、カンニング等の不正行為は何となくできないから、一生懸命勉強して真剣に試験に取り組むしかない。学生に「モラル・ハザード」をきかせる配慮から大学側が「教会」を試験会場として選んだとすれば、それはツボを心得た見事な発想ではある。

ある日、ヘーシンク氏がオランダの新聞やテレビで大きく取り上げられた。それは、決していいニュースではなかった。一九九八年、冬季長野オリンピック誘致に関するヘーシンク氏の汚職疑惑が持ち上がったのである。

国際オリンピック委員（ＩＯＣ）という地位を利用し、日本で過剰な接待を受け、賄賂を受け取っていたという疑惑であった。日本のヒーローとなっているヘーシンク氏が、こんな形でオランダで報道されるとは大変ショックだった。

結局、数カ月後にヘーシンク氏の疑惑が晴れて、その記事を見つけたときには、ほっとして、記事の内容を電報の形で外務省に伝えた。

この騒動がひと段落したある日、アントン・ヘーシンク氏が国際オリンピック委員を務めたのと同時期にオランダ・オリンピック委員を務めたファン・デル・ライデン氏とお話をする機会があった。

アントン・ヘーシンクの汚職疑惑が話題になり、ヘーシンク氏とオランダについての彼の率直な意見を聞かせて下さった。

「ヘーシンク氏は、父親がレンガ敷き詰め労働者であり、極めて貧しい環境のなかで育った。オランダには目に見えない階級社会が確かに存在していて、その階級の上下関係が覆ることは絶対にないのだよ。

オランダ人であれば、その階級の差からどうしてもある種のストレスが生まれる。ヘーシンク氏の生い立ちを考えれば、日本でのヒーローとしてのアントン・ヘーシンクのもてはやされ方はオランダ社会では過剰だと捉えられている。

確かに、ヘーシンク氏の東京オリンピックでの勝利はオランダ全国を沸かせ、ヘーシンク氏の住むユトレヒトの街の通りを『アントン・ヘーシンク通り』と名付けたりしたが、日本のように『永遠のヒーロー、アントン・ヘーシンク』として語り継がれるまでには至らない。

一方、日本は基本的に階級の存在しない平等な国であり、自分の育った生活環境はどうであれ、社会的に有名になっていく人も多い。

ヘーシンク氏は日本が大好きである。それは彼が日本でその平等社会を感じることができることによるところがかなり大きいと思う。そしてオランダ社会が、日本でのヘーシンク氏の人気をある意味で認めようとしないのはオランダの階級社会の名残であると自分は思っている」

私にとっては、オランダ社会の違った一面を聞かされた瞬間であった。

オランダは、その国土がどこまでも平坦であるように平等な市民社会が浸透している国だと感じていた私にとっては、その二面性を思い知らされたときでもあった。また同時に、ちょっと堅苦しいとさえ感じていた日本社会の柔軟な一面についてもふと気づかされたときでもあった。

アントン・ヘーシンクの日本での人気は、武道の基本でもある「礼」を身につけた真の柔道家としての、練磨された素晴らしい精神と屈託のない彼の人柄によるところがほとんどだと私は思うし、東京オリンピックでの伝説の九分二十二秒の勝利はこの先ずっと語り継がれていくことと信じている。

叙勲伝達式終了後にヘーシンク氏に書いてもらったサインを眺めながらそんなことを思った。

二十二、二つのカルチャー・ショック

私は五年間のオランダ生活を通してオランダの素晴らしさを知ると同時に、日本の美しさについてもこの国で知らされた。外国に身をおくと自分の生まれ育った国について思うのは、外国の慣習のなかで否が応でも直面するカルチャー・ショックを受けたときである。すなわち「日本だったらこうなのに」と思う瞬間である。

些細なことではあるけれど、「コーヒーをお飲みになりますか」とオランダで聞かれた場合は、「喜んで」(graag) 或いは「美味しい」(lekker) と答える。日本風に「有り難うございます」と言うと、それは「コーヒーは要りません」という意味になってしまう。

コーヒーが出てくると今度は、「クッキーはいかがですか」と聞かれ、オランダ流に「喜んで」と答えると、たったひとつのクッキーだけが配られる。そのクッキーを食べ終わるとクッキーの入った小箱を持ってきて、「もうひとついかがですか」と言って、またもやひとつだけ配られる。日本のようにテーブルのセンターに何枚かのクッキーを並べて「ご自由にお取り下さい」というようなことはない。

これはオランダの日常の一こまではあるが、オランダに来て最初のうちはこうしたひとつひとつの挙動に新鮮な「ショック」を覚えた。そして自分にとってごく当たり前と無意識のうちに身に付いている習慣が、実は井の中の蛙であったことに気づかされる。この種の「カルチャー・ショック」の多くはオランダに来て一年目、頻繁に経験した。

オランダに溶け込もうと必死に努めるなかで、日常そのものが非日常となって毎日が新鮮な驚きだった。そして、ごく普通に身につけてきた日本文化や慣習についてふと立ち止まって考えた。

私がオランダで経験したカルチャー・ショックには、実はもう一種類ある。それは、オランダの生活に慣れてきた三年目頃から経験し始めた「ショック」、つまりオランダが今の私にとって第二の故郷というべき愛しい国であるという事実とはまた別に、自分が生まれ育った日本という国が、何とも文化的に豊かな素晴らしい国であることを認識させられるという意味での「ショック」である。この種の「ショック」は、外国で多種多様な人々との接触を通じ「私は日本人である」という日本人としての意識が高まったときに初めて感じることのできる「ショック」でないかと私は思う。

「人種のるつぼ」と銘打たれ、多くの人種が共存して成り立っているオランダという国は、まさにその「ショック」を多く感じることのできる国だ。「中国人でもなければ、韓国人でもない、アジアのなかでも『日本』から自分はやってきたのだ」という意識が育つ。

その結果として、少し大袈裟に聞こえるかもしれないが、日本の美しき文化や思想を「言葉」で伝えるのではなく、自分の「行動」で示すことによって、ひとりの日本人として「日本」を「外」に伝えていかねばならないという使命感を持ち始めるのである。

この種の「ショック」は偶然にも、アムステルダムで感じることが多かった。時にはオランダ人の言動を通して、またあるときには自分と違う日本人を通して感じた。「ショック」というよりも日本という国そのものへの大きな感動と言ったほうが適切かもしれない。

オランダ船「デ・リーフデ号」が大分県臼杵湾に漂着してちょうど四百年を迎えた二〇〇〇年四月十九日、オランダ人合気道家フリースマン氏に招かれて、私は合気道の講演及びデモンストレーションに参加した。日蘭交流四百周年記念事業のひとつであった。この日は、午後、オランダで随一の日系ホテルであるアムステルダムにあるホテル・オークラで別の日蘭交流四百周年事業が行われたので、それに引き続き夕方からの合気道関連事業の参加は内心億劫だった。できれば仕事を切り上げて、そのままアムステルダムで、のんびりと食事でもしたい気分だったが、振り返れば、この合気道関連事業は参加して本当に良かった。

活気に満ち溢れたアムステルダムの中心から一本外れた閑静な住宅地の一角にある道場がその会場となった。

道場に足を踏み入れた瞬間、稽古で流した汗が道場全体にしみこんでいる、道場独特の臭いがして、私は中学時代から始めた剣道の稽古の想い出がふとよぎった。とても懐かしく感じた。合気道関係者や日本に興味を持つアムステルダムの人たちが道場にやってきて、静かに講演に耳を傾けた。三十人程度が集まり、皆真剣に聴いた。私も講演が進むにつれて不思議なほど講演に没頭した。それほど興味深い講演だった。

「試合」という形のない、つまり、勝負を決することのない合気道という武道は一体何なのか、どのように合気道の稽古が日常生活に応用されるのかを淡々とオランダ人合気道家が説明した上で、デモンストレーションが行われた。

その説明から得たエッセンスは、人を信じる心、謙譲の心、和を尊ぶ心を稽古を通じて養うことが、即ち人と人の心がふれ合うという意味での「合気」を学ぶ「道」であるということであった。

実例を挙げながら分かりやすく説明したオランダ人合気道家は真の合気道家だと思えたし、何よりも最後に「私自身も学び続けているのです」と言ったその言葉が、合気道で修行を積んでいる人の言葉として実に印象的で、私は彼のなかに日本の美しき精神を大いに感じ取った。

そして、このオランダ人合気道家を通して、合気道に見る美しき「大和魂」を学んだ。

アムステルダムにある、音響効果の素晴らしさで世界的に有名な音楽の殿堂「コンサルトヘボー」では、オーケストラやオペラ歌手を世界中から招き、秋からのコンサート・シーズンに入ると世界中から客を迎えて賑わう。オランダらしいのは、コンサートを聴きに行くにもそれほどお洒落をする必要はなく、普段着で気楽に楽しめることにあるように思う。

コンサルトへボー・オーケストラの団員は楽器を肩から下げて颯爽と自転車に乗ってやってくるし、お客さんも自転車で颯爽とコンサートにやってくる人たちが大勢いる。きっとそれはオランダ人に違いないが、肩に力の入りすぎないところがオランダらしくて私は大好きである。私も幾度となく、コンサルトへボーに足を運んだ。

そのうちのコンサートに、世界的に有名なウィーン・フィルハーモニー交響楽団によるコンサートがあって、オランダにしては飛び抜けて値の張ったチケットを売り出した。その指揮者は、世界的に名高い小澤征爾氏（二〇二四年逝去）だった。日本でも滅多に聴くことのできないコンサートだと思ったので、私は早速チケットを購入した。

二〇〇〇年三月、寒さは残るものの、少しずつ陽が長くなって春の訪れを感じる頃、胸を弾ませながら、二階席からコンサルトへボーの舞台に立った小澤征爾氏を拝見した。満員の観客で埋め尽くされた会場のぴんと張りつめた空気のなかで指揮者の棒が上がり、ブラームスの交響曲第三番が始まった。

終始、美しいハーモニーとともに舞台の心地よい緊張と熱意が伝わってきた。「世界の小澤」と絶賛される見事なコンサートで感激した。そしてブラームスの交響曲第三番が終わりに近づく頃には、私は、すっかり小澤氏の虜になってしまった。小澤氏に対する深い尊敬の念を持った。

まず、オーケストラの団員と指揮者である小澤氏との間にひとつの作品を創り上げようという一体感を感じた。指揮者と団員のアイ・コンタクトや自然に伝わるオーケストラの意気込みから、がっしりとした「信頼関係」が見て取れて、この上なき美しいハーモニーが耳のなかで心地よく響いた。

こんなに美しいハーモニーは完璧な「技術」だけではなく、「心」があってこそなのだろうと感動の渦のなか目を凝らして舞台を見ると、指揮者の前に楽譜がないことに気づいた。「これか！」と思った。

楽譜なくして指揮を振ることは、指揮者にとってはよほどの覚悟と自信が要ると思うし、そんな立派な指揮者に率いられた団員もまた、全幅の信頼をもって指揮者について行こうと必死になる。だからこそ、指揮者と団員の心が見事に一体となって、そのハーモニーが生まれるのだろう。楽譜なしで大きな舞台に立つ自信を得るための努力は想像すらできない途轍もないものだと感覚的に思った。小澤征爾氏の凄さの一面を見た気がした。

コンサートが終わって、割れんばかりの拍手喝采を浴びている小澤氏を見て、そのときまでに得た感動以上に感激した。指揮者が立つ指揮台から降りたまま、団員と観客に深くお辞儀をし、団員を幾度となく讃え、拍手がどんなに長く続こうとも決して指揮台に立って喝采を浴びようとはしなかった。こんな指揮者を見るのは初めてだった。

普通は、指揮者が団員より少し高い位置になる指揮台の上に立って観客に堂々とお辞儀をするのだ。これはこれで見ていて気持ちの良いものであるが、小澤氏の姿に私は自然と頭が下がった。私は同じ日本人として、小澤氏に今までにない大きな拍手を送った。

素晴らしいハーモニーを会場いっぱいに響かせることは、自分がしたのではなく、団員ひとりひとりが出す音によってであり、「みんな」が讃えられるべきで、自分も同じフロアで喝采を浴びるのだという和を尊ぶ心や謙譲の心を小澤氏の一挙一動から感じた。小澤氏は世界に立てる日本人の代表だと思った。

そして帰りの車のなかでは感動の余韻に浸りながらこんなことを思った。
「あの方は、世界中のいろんなところで御経験を積まれたことで、きっと日本人としての自分が筋の通った形で常に御自分のなかにあるのだろう。世界中で絶賛されるヒーローになられても、日本の美しき心が自然に『外』に出ていて、また、そうであるからこそ、『世界の小澤』として絶賛に値する方なのだろう」と。

日本が長い歴史のなかで大切に育て伝えてきた「大和魂」を持っておられる方が、立派に日本国を代表しておられて、同じ日本人として嬉しかったし、オランダで「大和魂」を感じることができたこともまた、嬉しかった。

またこんなことも思った。
「小澤氏のように世界に出て『世界の小澤』と絶賛されるまでの『コスモポリタン』になるということは、即ち、『自分に帰る』という、一見相反することに通じている。自分を熟知し、他を想うことこそが世界に通じる者たるべき人なのかもしれない。日本のみならず世界共通の普遍の真実かもしれない」と。

この言葉のパラドックスが何とも言えず滑稽に思えたが、何だか晴れ晴れしい気分でハーグへの帰路を楽しんだ。

オランダにいてこそ感じることのできた素晴らしき「ショック」のひとつである。

二十四．お豆のスープに見るアレゴリー

オランダの数少ない名物料理のなかのひとつに、冬限定のおいしいお豆のスープがある。オランダはその西側が北海に接し、年中風が強く、冬の寒さは身にしみる。そんなときに、このお豆のスープは身体の芯まで温めてくれる、オランダならではのスープである。

オランダではこのお豆のスープのことを「エルテンスープ」（erwtensoep）と言う。もともとエルテンスープはオランダの家庭料理のひとつであり、場所によって、またレストランによってその味はまちまちだが、美味しいことには違いない。

スープの中身はお豆のほか、じゃがいもをはじめ、ある限りのいろいろな野菜とベーコン、ソーセージを入れる。それは「スープ」という、一般に前菜として飲む上品なものではなく、いわば「ごった煮」という言い方がしっくりくる「食べ物」である。

エルテンスープの鍋に入れたスプーンが倒れないほど、溶けたお野菜が詰まっていて、それだけで栄養が十分に摂れてしまう。

私は、オランダで五回の冬を経験したが、年を重ねる度に「エルテンスープ」の飽きない美

味しさのなかにオランダという国を発見して面白いと思った。

最初の年は、あまりに暗くて厳しいオランダの冬のなかで芯まで温めてくれる、純粋に美味しいスープだと思った。

「オランダ料理」と呼ばれるものが少ないなかで、カレーやシチューのように手軽に食べることができて、冬にぴったりの料理だ。

オランダには、インドネシア料理をはじめ、タイ料理、ギリシア料理、アフリカ料理と世界各国の料理のレストランがたくさんあり、ごく普通の値段で他国の料理を楽しむことができる。その意味でオランダは、「食」を十分に楽しむことのできる国のひとつだ。

イタリアやフランスなどのラテンの国へ行けば、その国自慢の料理店が軒を連ねる。それらの国を旅すれば、「やはり美食の国に来たからにはその国の料理が一番!」と最初は美味しいイタリアンなりフレンチ料理を心ゆくまで楽しむが、いい加減、滞在三日目以降は「別のものを食べたい」と思うのは私だけではあるまい。

その意味では、オランダはレストランの種類はバラエティーに富んでいて、選択に困ることはないが、オランダの冬の限定の「エルテンスープ」は何度食べても最高である。

街のカフェにはエルテンスープの宣伝がたくさん見られる。

次の年には、「エルテンスープ」は、それだけで十分な栄養が摂れて、なんて合理的な食べ物だろうと感心した。

野菜をふんだんに使った料理であり、お皿を何皿も使って目で楽しみながら食べる日本料理とは正反対で、シンプルなスープの器ひとつで、一食分の栄養を摂ってしまう、見事なほどに合理的なオランダ料理だ。後片づけにも手間がかからない、主婦には嬉しい料理でもある。

そして、野菜が溶けるまで煮込んであるから、固い食べ物の苦手な老人から離乳食を食べる子どもまで、幅広い層に美味しく食べてもらうことのできる食べ物である。

おまけに、たくさん作り置きして、何日も美味しく食べることのできる料理である。

どの側面をとっても「合理的」という言葉がぴったりくる、無駄なことをしない合理的なオランダ人像と重なる、オランダの代表料理にふさわしい料理だと思った。

そして、三年目の冬には「あるものを何でも」入れてしまうこのスープが、「アレス　マッハ」（「alles mag」日本語訳：全てできないことはなにもない）というオランダの精神と重なって面白いと思った。

オランダでは、これまで安楽死もソフトドラッグも法的には禁止されていても、現実社会ではまかり通ってきていて、「オランダでできないことはない」と言い切ってしまえるほどに、オランダ社会では、オランダ流の寛容の精神と現実に即したプラグマティズムの精神が相互に作用している。

いろいろな野菜が溶けて混ざり合って生まれる「エルテンスープ」の絶妙な風味を味わうとき、私は「alles mag」の精神を想うのである。それは、奥が深く、知れば知るほど面白いオランダと似て、食べる回数を重ねるごとにその美味しさを再発見できる、私にとっては魔法のスープだと面白く思った。

そして、オランダ最後の冬には、「エルテンスープ」にはいろいろ教えられたと感謝した。「エルテンスープ」は、単に美味しいというだけでなく、オランダのアレゴリーを感じることができ、一層美味しさが増す、二重の楽しみを旅行者にも滞在者にも与えてくれる奥の深いスープである。

「ドイツで一番薄い本は何?」と聞かれたらそれは

「ジョークの本」であるが、「オランダで一番薄い本は何?」と聞かれたら、それは「料理の本」であると冗談で言われるほどに、オランダの料理の種類は少ないかもしれない。しかしその少ない料理集のなかで、オランダを代表する堂々たる料理がお豆のスープ「エルテンスープ」なのである。

二十五．ジンの起源ジュネバ

イギリスの強いお酒ジン。これはもともとオランダのお酒「ジュネバ」を少しばかり改良してできたお酒だ。ライ麦、トウモロコシ、小麦粉等の穀物の粉を蒸留し、「ジュネバリー（杜松の実）」を入れることからこの名が付いた。

「ジュネバ」は、一六六〇年、ライデン大学のシルビウス教授が開発した。当時、オランダは大航海時代で、東インド会社が一六〇二年に設立され、アジアとの貿易が盛んに行われており、多くのオランダ人が旧蘭領インドネシアを中心とする東インドに駐在した。ところ変わればその土地特有の病気にかかるのが常であるが、彼らは熱病に苦しめられた。そこで、シルビウス教授が利尿効果の高いジュネバリーを使って熱病の特効薬の開発に取り組んだのである。その研究過程で、アルコールにジュネバリーを漬けて蒸留したのがジュネバのそもそもの始まりであるのだが、この蒸留の方法自体は、十六世紀、オランダのスペインからの独立戦争「八十年戦争」の際、ドイツの傭兵隊とともに伝わったらしい。

十七世紀はオランダの黄金時代で、オランダが世界の海を制覇した時代であった。この時代、オランダの経済的な繁栄を妬んだイギリスは、かの有名なクロムウェルによって航海条例（一六五一年）という政治的な制裁を加えた。このことから、オランダとイギリスの間で四回もの戦争が繰り広げられることになった。イギリス本土に上陸したオランダ兵の多くは、薬の代わりにジュネバを腰に巻き付け、テムズ川を渡り、勇敢に北進した。

戦場で死傷したオランダ兵の腰から下がる「入れ物」を持ち去ったイギリス人がその入れ物の液体を飲んで「これはうまい」と言って広まったのが「ジン」である。

ジン・ベースのカクテルにはいろいろある。そのなかでも「ジン」と「ベルモット」の絶妙な相性を楽しむ「マティーニ」は「カクテルの王様」と呼ばれるだけあって、ポピュラーでかつ格別な風味を持っているカクテルだ。強いお酒の苦手な私でさえも、一度は口にしてみたいと思って、興味をもって飲んだカクテルである。

イギリスのチャーチル首相は、ベルモットのボトルを眺めながらドライ・ジンのみを飲んで「マティーニ」を楽しんだ。また、新聞記者として世界各地を転々とし、「武器よさらば」、「誰がために鐘は鳴る」、「老人と海」等の傑作を書いた文豪ヘミングウェイは、十五対一の超ドライの「マティーニ」を愛した。

チャーチルやヘミングウェイを始め、多くの人に愛されてきたカクテル「マティーニ」は、ジンが命であり、オランダのジュネバが海を渡ってこそ生まれたカクテルと言っていい。

イギリスのジンに比べると、ジュネバは少し甘味があり、種類は無色透明な「ヤング・ジュネバ」と少し黄金色でマイルドな「オールド・ジュネバ」の二種類がある。どちらもアルコール度は三十六パーセントあり、かなり酔いのまわりは早い。

ビールとジュネバの組み合わせのことをオランダ語で「コップストート」(kopstoot) という。「コップストート」とは、「頭を強く打つ」という意味で、サッカーでは「ヘディング」の意味に使われている。サッカー好きのオランダで、ビールを水代わりにしてジュネバを少しずつ飲むこの飲み物は、ビールやジュネバを片手にサッカー試合を観戦するなかで生まれた言葉なのかもしれない。

日本からの来訪客をもてなすとき、オランダの数少ない名物として「コップストート」を振る舞うが、日本とオランダの時差八時間（夏は七時間）の時差ボケが大いに手伝って、これを飲んだら大抵の人が食事の半ばで強烈な睡魔に襲われる。睡魔と戦いつつ、じっと我慢して話を聞かれる来訪客を哀れに思いつつも、これこそオランダ入りした洗礼であり、翌朝の目覚めをよくしてくれる薬なのだと私は思っている。

実際、ジュネバを飲んだ翌朝からは、オランダでのしゃきっとした一日が始まるのである。

毎年五月になると、在アムステルダム名誉総領事主催の「ジュネバ&ハーリング・パーティー」が、ハーレム近郊の森のなかの素敵なお城で開かれ、多くの日本関係者が集う。仮設された駐車場からお城までは馬車が用意され、ムード満点の楽しいパーティーである。オランダ在勤中、私は、毎年のようにこのパーティーに出席した。

オランダでは、五月下旬にニシンの初漁が行われる。第一匹目は国王陛下に献上され、二匹目は高値で売りさばかれる。そして三匹目以降のニシンからは、ごく普通に競りにかけられ、多くの人の舌の上で踊ることになる。

この時期には、様々な業界が様々な思惑で、取れたての生ニシン「ホーランセ・ニュー」をジュネバの肴にしてパーティーを行うが、国王陛下の次に口に入るニシンが並ぶのは、在アムステルダム名誉総領事主催パーティーか、ホテル・ヒルトン主催パーティーと言われている。

頭とはらわたが取り除かれた生ニシンのシッポをつまんで、ナイフもフォークもお皿も使わずに、そのまま口に入れる食べ方は、合理的なオランダ人らしくていい。

大抵の日本人が寿司や刺身を好むのと同じように、大抵のオランダ人もまた脂のしっかりのった生ニシンが大好きである。オランダの街を歩くと、通りにニシンの屋台が必ず一軒はあり、昼食時には、小さなコッペパンに生ニシンか酢漬けニシンをサンドして、その上に玉ねぎをかけた「ブローチェ・ハーリング」を食べるオランダ人の姿が見られる。

生魚を食べる習慣があることが大いに手伝っているからか、「ブローチェ・ハーリング」のコッペパンが「ご飯」に、玉ねぎが「わさび」にとって代わった日本の寿司は、オランダで大人気である。

政治都市として機能するハーグには、官庁や市庁舎やコンサート・ホールが建ち並ぶ一角に「シラサギ」という日本食レストランが存在する。一九九八年秋、日本紹介の一環として「ハーグ日本月間」を大使館主催で開催した。自分が中心となって企画させて頂いた楽しい想い出のひとつである。

このとき、「シラサギ」で、オランダに十五年以上在住しておられる同店の板前さんに、取れたての魚のおろし方から、刺身となり、寿司となるまでの流れをデモンストレーションして頂いた。オランダ人の女性陣だけでなく、官庁で働く男性陣も予想以上に多く集まり、皆ところ狭しと、それこそ「鮨詰め」状態で、真剣なまなざしで、板前さんの説明に耳を傾け、その素晴らしい「さばき」に見入っていた。そして、楽しげに寿司の作り方を学んだ。

自分で握ってみた寿司は、形は悪くても味は格別のようで、大きなオランダ人が無邪気に美味しそうに寿司を食べる姿を眺めているだけで、私は何だか楽しい気分になった。

寿司は今や、オランダでオリエント版「ブローチェ・ハーリング」の地位を築きつつある。


オランダ人とニシンとのつき合いは長い。中世のオランダの貿易では輸出品としてニシンは欠かせなかったし、いい商売になった。特に南ヨーロッパは敬虔なカトリック文化圏である。毎週金曜日に加えて、カーニバルから復活祭までの数週間は、食肉は禁じられていて、肉の代わりにオランダからのニシンを食べた。また、冷蔵庫のない時代、オランダはフランスから塩とワインを輸入し、ニシンを塩漬けにして運び、ワインでその塩を洗い流して、当時にしては新鮮なニシンを欧州で売りさばいた。

農業にも適さず、鉱物も採れない中世のアムステルダムがその後に大きく飛躍することになる原点は、まさにニシンにあったと言っていい。

そんなニシンは、オランダを語るとき欠かせない要素のひとつである。

二十六．じゃがいも文化

日本で食べる「コロッケ」は、もともとオランダから入ってきたものである。オランダでは、「コロッケ」のことを「クロケット」という。「クロケット」はフランス語であるが、オランダでも「クロケット」と言う。「クロケット」の中身はじゃがいもというよりメリケン粉に挽肉を混ぜた「クリーム・ミンチ・コロッケ」といった感じで、オランダで代表的な食べ物のひとつである。

世界的にチェーン店を設けているマクドナルドは、日本の「照り焼きバーガー」のように、その国のオリジナル・バーガーを作っているが、オランダには「マック・クロケット」というオリジナル・バーガーがある。パンにあつあつの「クロケット」を挟んだだけの、とてもシンプルなバーガーだが、そのシンプルさはオランダらしくて私は好きだし、なんと言っても美味しい。ちょっと小腹が空いたときなどには最適な食べ物で、私もアムステルダムの道を歩きながら何度か食べたものだ。

日本からの来訪者をレストランで食事を振る舞うとき、必ずと言っていいほど「オランダらしい食べ物はなんですか?」と聞かれる。大抵、かしこまった席での会話であることが多く、どうしてもその答えまでがかしこまってしまい、「オランダには、これといって『料理』と呼べる美味しい料理は残念ながらないですね。敢えて挙げるとすれば、クレープのなかにベーコンやチーズ、またはリンゴやレーズン等、自分の好きなものを入れた『パンネクック』がります。また、マッシュポテトの横にお肉やソーセージをのせて、一種類のお野菜を添えた『フッツスポット』や『スタンポット』でしょうか。冬であれば『エルテンスープ』というお豆のスープが美味しいと思います」などと答えてしまう。

しかし、本当にオランダらしい食べ物は、日本円にして百円程度の、安くて、シンプルで、そして庶民的な「マック・クロケット」であると私は思っている。オランダの文化を象徴した見事な食べ物であり、「マック・クロケット」を発明した人には脱帽である。

「クロケット」には、前述の通りじゃがいもはふんだんに使われていないが、じゃがいもはオランダ人の好物である。大抵の日本人はしばらく「ご飯」を食べていないと無性にご飯を食べたくなるものだが、オランダ人の場合は「じゃがいも」がそれに当たる。

主食としてのじゃがいもの地位がオランダで確立したのは、じゃがいもが南米から伝わった頃からの話で、インカ帝国を侵略したスペイン人により十七、十八世紀に欧州各地で栽培が普及した。寒さの厳しいオランダでは、パン用の小麦よりもじゃがいものほうが簡単に育てることができ、確実に食卓に並んだ。

アムステルダムにはオランダを代表する画家ゴッホの作品を展示したファン・ゴッホ美術館がある。ゴッホの生きた時代が分かるように、その年代順に作品が展示されていて、一通り美術館を見終わったとき、自然に頭のなかできちんと整理されるように考えられている。時代ごとの、ゴッホを取り巻く環境や心境の変化が絵のなかに見えて、何時間いても飽きない美術館である。

この美術館でまず最初に眼に入る作品に、ゴッホ初期の作品「じゃがいもを食べる人々」がある。ひとつの大きなお皿に盛られたじゃがいもを家族みんなでつつきながら食べている一農家の夕食風景を描いた作品である。

この作品には何とも言えない暗さが漂っている。絵のなかの、ごつごつした手が印象的で、「生きる」ということは、つまり「労働」して「食べる」ことなのだと訴えかけられているような感じに襲われる。

これこそ、自然の厳しいオランダでの生き方だという気がして考えさせられる。

じゃがいもは寒さの厳しいところで重宝されたことから、オランダのほか、イギリス、アイルランド、北ドイツでも大切な主食である。

イギリスでは「フィッシュ&チップス」が代表的な食べ物となり、じゃがいもは「チップス」としてイギリス内外で不動の地位を築いた。

アイルランドでは一八五〇年代、じゃがいも飢饉が全土を襲った。じゃがいも飢饉のせいで、アイルランドは欧州史上で唯一人口が減った国としても知られている。

ちょっとここでアイルランドの話を紹介したい。

アイルランドは、ヨーロッパ大陸から西へ西へと追いやられてきた追放の民ケルト人が創った国で、独特のケルト文化が息づいている。「妖精の国」と謳われるほどに、昔から伝わる神話や民話が多く残されていて、情緒豊かな国民性が特徴で、文学や音楽が特に素晴らしい。

アイルランドの首都はダブリンである。このこぢんまりとして、整然とした街には、「テンプル・バー」という文化発信の地域があり、多くのパブやギャラリー、コンサート・ホールが並ぶ。

夕暮れどき、テンプル・バーを歩くと、色とりどりの洒落たパブが軒を連ね、躍動感溢れるアイルランド音楽が心地よく耳に入ってくる。パブに入れば老若男女が、アイリッシュ・ハープがトレード・マークになっているアイルランドの黒ビール「ギネス」を片手に、生演奏に耳を傾けながら、楽しそうに思い思いの時間を過ごしている。


アイリッシュ・パブで聞くことのできるアイルランドの伝統音楽は、じゃがいも飢饉のお陰でイギリスやアメリカに渡って、多大な影響を与えた。

アメリカに渡らずイギリスの港町リバプールに留まったアイルランド人の子孫には、世界のスーパースターであるジョン・レノン、ジョージ・ハリスン、リンゴ・スター、ポール・マッカートニーがいて、世代を越えて親しまれる「ビートルズ」が誕生した。

そしてアメリカでは、祖国アイルランドを想い出しながら奏でられた哀愁漂うその調べが、黒人音楽とともにアメリカン・ジャズやカントリー、そしてロック・ミュージックの基礎となって広がった。

現在、アメリカには多くのアイルランド系アメリカ人がいて、アイルランドの総人口約三百六十万人よりずっと多いと言われる。若き英雄として名を残すケネディー大統領もアイルランド系移民の子であったことをふと想い出す。

そう考えると、ジャンク・フードの国アメリカで、ハンバーガーとともに食べる「フレンチ・フライ」が今もアメリカの食文化で堂々たる地位を得ているのも、もしかしたら、じゃがいもの食文化をもつアイルランド系移民のお陰かもしれないとも思ってしまう。

オランダで落ち着いたじゃがいもは「パタート」というフライド・ポテトの形でオランダ人の口に入る。アメリカン風に言えばフレンチ・フライである。

必ず街にひとつはパタートを専門に売っている店があって、年中オランダ人が列を作って並んでいる。

オランダではポテトに塩をふらず、店頭に掲げられている十種類程度のソースのなかからいくつか選んでポテトにかけてもらう。人気は、オランダのマヨネーズ。日本のマヨネーズとは少し違って、酸味がなく、揚げたてのポテトによく合って美味しい。そのほかピーナッツ・ソースやカレー・ソース等のオランダでしか食べることのできない組み合わせもある。全てのソースをかけたよくばりなものをオランダ人は「パタート・オールロフ」（パタート戦争）と呼んでいる。

そして、じゃがいもは、とうとう日本までやってきた。十七世紀前半、オランダ船によりジャワのジャガトラ港から伝わったらしい。日本はお米を主食とする食文化の国だから、十七世紀中頃、飢饉で食糧不足になって初めて、じゃがいもは食用として栽培されるようになった。「じゃがいも」とは、「ジャガトラ」港がなまって「ジャカタライモ」、そして「ジャガイモ」となったらしい。

なんとも安易な命名であるが、オランダのお陰で、日本でも美味しいコロッケを頂くことができることに私は感謝する。

二十七．ダイヤモンドとアムステルダム

ライデン大学で一緒にオランダ語を学んだ友人のひとりが、オランダの南西側に接し、一八三〇年までオランダの一部であったベルギーの都市アントワープで、宝石鑑定士の資格を見事取得し、三年振りにハーグの我が家で再会した。

ベルギーは、フランス語が日常的に話される南部のワロン地方とオランダ語が日常的に話される北部のフラマン地方があり、フラマン地方がオランダと国境を接する。そのフラマン地方の大きな都市のひとつがアントワープである。彼女は、自分の生涯の仕事として宝石を勉強することを決心し、オランダ語圏でダイヤモンドの研磨で有名な土地、アントワープを選んだのである。

アントワープは、ネロ少年とパトラッシュの物語「フランダースの犬」の舞台となった街でもあり、とりわけ日本人には馴染み深い土地である。ネロ少年が感動した大聖堂にかかるキリストの絵は、その大きさといい、迫力といい、壮観である。

久し振りの再会で、お互いの近況を報告しあうなか、彼女は、ダイヤモンドについての面白

い話をしてくれた。

「……大陸移動説はダイヤモンドから生まれたんだよ。十九世紀末から二十世紀初頭にかけてウェゲナーはダイヤモンド原石が発見される場所を地図上で記していくと、共通する地理的な条件に気づいたの。ダイヤモンドが生まれるには、地中でもの凄い高温と高圧が必要で、地殻変動で生じる力がそれに相当すると考えて大陸移動説を立証したの。そして、大陸移動説の原理は、今もなお、ダイヤモンド原石の発掘に利用されているんだ。結構ダイヤモンドも奥が深いでしょう？」

地図をじっと眺めて思いついたというウェゲナーの大陸移動説の話は、昔、小学校の教科書で読んで、幼心に凄いと思ったが、その説の立証にはダイヤモンドが一役を担っていることをこのとき初めて知った。

世界中に認められている宝石は約七十種類あるが、そのうち市場に出回るのは約四十種類だという。そのなかでも、最も純度が高く、ひときわ美しい光を放つ宝石がダイヤモンドである。その研磨の場は、ベルギーのアントワープとともにオランダのアムステルダムが有名である。

アントワープは、ファッション・デザイナーを多く輩出する、洗練された街である。オランダからこの街へ来ると、ベルギー人のほど良い背の高さにほっとすると同時に、女性が身につけているアクセサリーが目を引く。お洒落な街である。

質実剛健なオランダでは、奢侈の域に属する宝飾品は目の保養程度に扱われていると言っていい。アムステルダムの街に並ぶ宝石屋でダイヤモンドを買うのは大抵、オランダ人というよりアムステルダムを訪れた観光客である。

そもそもアムステルダムにダイヤモンドがやってきたのはそれなりの理由がある。

十六世紀、フィリップ二世がスペインで「太陽の沈まぬ国」として広大な領域を統治していたとき、現在のオランダとベルギーを含む土地は「ネーデルラント」(低い土地)という地名がつけられていて、スペインの統治下にあった。

カトリック文化のなかで育ったフィリップ二世は、「ネーデルラント」で育った父、カール五世とは違い、清貧を重んじるプロテスタントの文化が肌に合わなかったことから、「ネーデルラント」の住民たちに対して異端禁止命令を出したり、新課税の要求をするなどした。それは、「ネーデルラント」の住民にとって頭にくるようなことばかりだった。

当然、最後には堪忍袋の緒が切れて、「ネーデルラント」の人々の怒りは爆発してしまった。それに慌てたフィリップ二世はその住民たちの暴動を抑えるため、悪代官として名高いアルバ公を総司令官として約一万のスペイン軍の大軍をネーデルラント方面に派遣した。

まず、スペイン軍が狙ったのは、その時代に良好な港として繁栄を極めていたアントワープであった。

スペイン軍の北進に伴い、アントワープに住む職人やダイヤ商人が政治難民として北部に逃れるなかで、彼らを快く受け入れたのがアムステルダムだった。もちろん、そこには、困っている人々を見過ごせない優しさと、優れた技術を持つ外国人を歓迎することによって自分たちの街を繁栄させようというアムステルダムのしたたかさも垣間見られる。こうして、アムステルダムに残った優秀な職人やダイヤ商人のお陰で、アムステルダムはダイヤモンド研磨で世界的に有名になり、オランダ経済にも大きく貢献している。

オランダは政治難民を他国に比べて比較的簡単に受け入れ、面倒を見る優しさや寛容の心を今もなお持ち続けている国であるが、国籍を問わずに優秀な人材を歓迎することによって、そこから生まれるマイナス面以上のプラス面を長い目で見通ししたたかな一面を昔から持っている国である。

ダイヤモンドとオランダ、一見縁のないように思える組み合わせではあるが、歴史的な深い繋がりとともにオランダのしたたかさが感じられて、何とも妙に似つかわしくなくも似つかわしい、不思議な取り合わせである。

二十八．アムステルダム商人の果てしなき夢

オランダの街には、商品の取引を行う広場が存在してきた。この広場の近くには教会があり、昔から広場は市民のあらゆる交流の場として機能してきた。

オランダの首都アムステルダムには、「ダム広場」がある。そもそも「アムステルダム」とは、「アムステル川に臨むダム」の意味で、一三六四年頃ダムが建設された。ゾイデル海を背後に控え、内陸より続く川の河口に位置するという地の利を生かした運送業をアムステルダムの人々は行ったのである。

その際「コッヘ」と呼ばれる底浅の船で運送を行ったので、アムステルダムの古い街の紋章には十七世紀のアムステルダム黄金時代の礎の象徴として「コッヘ」が描かれている。

アムステルダムは、中世の時代、ハンザ同盟に入っていなかったため、貨物集散地として栄えたブリュージュをはじめとするハンザ都市とは貿易ができなかった。そこで、ハンザ同盟の管理下におかれていない港を探す必要があったのである。例えば彼らが目を付けたのは、バル

ト諸国の過剰の穀物であり、安い値で穀物を買い、飢饉や穀物の不作のときを待って高値で売りさばいたりした。
　そうこうしているうちに、スペイン、ポルトガルが新航路を発見して、貿易航路が地中海から大西洋に移り、ハンザ同盟の時代は終わった。ブリュージュは、海岸に砂が押し寄せて港としての機能を果たせなくなり、アントワープが重要な役割を担うようになった。だが、スペインからの独立戦争のさなか、一五八五年、アントワープはスペイン軍に占領されてしまったことから、今度はアムステルダムがその役割を果たすようになったのだった。

　アムステルダムは十六世紀半ばの欧州の

運河の豊かな水がアムステルダムの街並みを一層引き立たせる。

穀物不作でバルト諸国からの穀物を欧州に売りさばいた。そして、アントワープの陥落で行き場を失った職人や知識人を喜んで迎え入れた。

「ポールターズヘルト」(poortersgeld)と呼ばれる当時の住民税を免除して外国人を受け入れたことから、安価な労働力をも手に入れることができた。こうした偶然の重なりやしたたかな政策によりアムステルダムは、欧州の貨物集散地としての地位を築き上げていった。

一五九五年アムステルダム商人たちは、みんなで資金を出し合って、喜望峰経由でインドに到達することを初めて試みた。船が難破したり、海賊に襲われたりするリスクを皆でシェアして損をするリスクを少なくした。香辛料などの東洋からの高級な品を積んで無事に船が帰れば、その利益も出資額の大きさに応じてシェアされた。一種の賭け事である。

こうして一六〇二年、東インド会社（ＶＯＣ）は生まれた。世界最初の株式会社である。

東インド会社の船は東南アジアから香辛料、お茶の葉、陶磁器等を運んだ。当時香辛料は特に重要な品のひとつであり、高価なものであった。この名残として、今日でも法外な値段のことを「胡椒のように高い」（peperduur）というオランダ語が残っている。


アムステルダム商人の果てしない冒険心は、一六二一年、西インド会社（ＷＩＣ）設立という形でも表れた。ポルトガルやスペインの船を襲い、船に積載された品を売りさばくことで西インド会社の初期資本を手に入れた。リスクも利益もみんなでシェアした東インド会社に比べればやり方は汚い。

この西インド会社の活動の一環として、オランダ人は、マンハッタンに貿易の拠点「ニュー・アムステルダム」を築いた（一六二五年）。ちなみに「マンハッタン」とは、インディアンの古語で「酔っぱらい」の意味だそうだ。

オランダ人がこの地を買収するときに酋長に酒を飲ませて、酋長が「できあがった」頃合いを見計らって、土地買収に係る契約書にサインさせたという逸話が残っている。その後、酋長は「自分はマンハッタンだった（酔っぱらっていた）」と弁解したがあとの祭りで、六十ギルダーという相当の安値で土地を買い取り「ニュー・アムステルダム」を築いた。六十ギルダーとは日本円にして三千円程度。当時の物価を考えてもやはり相当な安さである。

安値で土地を買い取ることに成功したオランダ人が、ふざけ半分でこの土地を「マンハッタン」と名付けたに違いない。

恐らくこのときに飲ませた酒は、ジュネバだったのではないかと私は楽しく想像する。マティーニと並ぶカクテルの女王「マンハッタン」というウィスキー・ベースのカクテルがあるが、これは、ジン・ベースのカクテルの王様「マティーニ」を愛したイギリスのチャーチル首相の母親が作ったとする説がある。

「マンハッタン」は大変口当たりがよくて飲みやすいが、結構アルコール度が強いので知らぬ間に酔いが回る。チャーチル首相の母親が「マンハッタン」の意味とそれにまつわる話を知って、このカクテルに「マンハッタン」という名を付けたとしたらそれは実に見事で面白い。

また、一六二三年に西インド会社の艦隊副司令長官に就任したピート・ヘインの話は、オランダ人なら誰でも知っている。彼は一四九二年にコロンブスが新大陸だと信じて「聖なる救世主イエス・キリストの島」の意味の名を付けたサン・サルバドル島を征服し（一六二四年）、フロリダ海峡で金銀を積んだスペインの船を襲い、相当の宝を手に入れた（一六二八年）。

ピート・ヘインの戦略のうまさが、マウリッツ公の目に留まり、オランダ海軍を革新するため、彼はオランダの海軍中尉として活躍した。

だから、海の歴史を語るとき、ピート・ヘインなくしては語れない。特にスペインの船を襲った話はオランダ人なら誰でも誇りに思っていて、対スペイン戦のサッカー試合には実に威勢よく、「ピート・ヘインの歌」が歌われるのである。

いずれにしろ、西インド会社の手口は汚く、西インド会社は二十六年で潰れ、この「ニュー・アムステルダム」も一六六四年にイギリスにその地位を奪われてしまい、「ニューヨーク」となった。そして、ニュー・アムステルダムと引き替えに南米のスリナムをもらったのである。


アムステルダムの商人たちの商売熱は東インド会社と西インド会社では終わらなかった。彼らは南アジアとの貿易を、いかにしてより利益の高いものにしようかと考えたのである。つまり長くてリスクの大きい喜望峰経由の航路よりも、まだ航路として開拓されていない北極海を行く北の航路である。

一五九五年、アムステルダムから喜望峰に向けて船が出たのと同じ頃、ウィレム・バレンツとその船員たちが北の航路発見の使命をもって船を出航させた。地図上のウラル山脈を真北にたどると「ノバヤゼムリャ」という大きな島が海に浮かんでいるが、バレンツ一行を乗せた船は氷の海のなか動きがとれなくなり、この「ノバヤゼムリャ」で粗末な小屋を造って冬を越した。簡単に冬を越したと言っても、北緯八十度に位置する島の冬の寒さが半端でないことは誰でも容易に想像ができ、新航路発見に向けての限りなき冒険心と勇気は、現代においても人の心を大きく動かすのではないだろうか。

このバレンツの功績は、バレンツ一行が「ノバヤゼムリャ」まで渡った海を「バレンツ海」と名付けることによって永久のものとされ、また、彼の航海によって北極海にいる鯨の存在が発見された。この発見により、北極海に浮かぶスピッツベルゲン諸島を拠点とする「グリーンランド会社」が設立され、十七世紀、アムステルダムは捕鯨でも利益をあげた。

鯨の油はランプ・オイルとして、骨は家具や建材として、ひげはコルセットやドレスにボリュームをもたせるための下着、クリノリンに使うことができたため、鯨は重宝されていい商売になった。

アムステルダム国立美術館の「ノバヤゼムリャ」をめぐる冒険の説明の前に立ったびに、「商売」とはいえ、遠きアジアとの貿易にかけるアムステルダム商人たちの果てしなき夢と凄まじい根性を私は感じたものである。

アムステルダム商人の海外に向けた果てしなき夢は、バレンツ海、ニュー・アムステルダムのほか、地図を広げると様々な地名に残っている。

モアイ像で有名なイースター島も、オランダ人が復活祭（イースター）の夜に発見したためこの名が付けられた（一七二二年）。ニュージーランドもオランダ語の表記では「ニュー・ゼーラント」で、オランダの南部にあるゼーラント州出身のオランダ人であるタスマン船長が発見し、船長が懐かしき故郷を想ってこの名を付けた（一六四二年）。ちなみにタスマニア島を発見したのもタスマン船長である（一六四二年）。またオーストラリアを発見したのもオランダ人ウィレム・ヤンスゾーンであったが、オーストラリアをニューギニアの陸続きだと勘違いして、新大陸発見の功績を逃してしまったという。

二十九. デルフト・ブルー

ハーグにあるマウリッツ美術館に行くと、眼の覚めるような実に美しい「デルフトの眺望」を見ることができる。ロッテルダム近郊の街、かの有名なデルフト生まれの画家フェルメールの作品である。この作品は私の大好きな絵のひとつで、心が落ち着かないときにはこの絵の前に立つのが何より効果的だ。

冬のある日、在ベルギー日本大使館の同僚がオランダを訪ねてきた。この「デルフトの眺望」と同じ風景を眺められるところがあるというので、一緒にこの風景を探しにデルフトまで出掛けた楽しい想い出がある。そのとき私たちは美味しいレストランを探すときにその星の数で美味しさを見分けることで有名な「ミシュラン」のガイドブックを片手に探し回った。

美しい夕暮れどき、大体、このあたりから眺めただろうというところを見つけ、フェルメールの「デルフトの眺望」を思い浮かべながら、自分の眼でデルフトを「眺望」したのだった。

近代的なビルが視界を邪魔して、かなり自分の空想に頼らねばならなかったが、フェルメールが捉えた、静寂のなかの一瞬の美を自分の眼の前に広がる「眺望」と重ね合わせて、我が故郷を描いたフェルメールの気持ちについて考えてみた。

デルフトは、スペインからの独立戦争の指揮を執り、独立への道を切り開いたオランダ建国の父オレンジ公ウィリアム一世（沈黙王）が、独立を目前に暗殺された（一五八四年）街でもあり、オレンジ公ウィリアム一世を始め、オランダ歴代の王族がこの街にある新教会に葬られている。オランダ王室の聖地ともいうべき街である。毎時定刻に鳴り響く教会のカリヨンの音色が実に美しく響き渡り、フェルメールの「デルフトの眺望」のように静かで平和な時間を感じることのできる素敵な街である。

一九九七年には、米国のクリントン大統領（当時）が、ふらっとこの街を訪れ、広場の一角にあるカフェでオランダのお菓子「ポファァチェ」を食べたことが話題になった。「ポファァチェ」とは、言ってみれば、「たこ焼きサイズのホットケーキ」で、手軽に食べることができて、特にオランダの子どもたちに大人気の三時のおやつである。

このカフェにはクリントン大統領の写真がたくさん飾られてあり、クリントン大統領が「ポファァチェ」を食べたカフェとして大繁盛している。仕事に疲れたクリントン大統領も、この街でカリヨンの美しい音色を聞きながら、また、メルヘンチックな古い街並みを眺めながら平和な時の流れを感じたのではないかと思う。

人の心に潤いを与えてくれる情緒豊かな街、それがデルフトである。

「デルフトの眺望」のなかで、私が好きなのは、水面に映し出された風景の、影の美しさである。雲の合間からのぞいた美しい青空の「青」がとてもいい具合に水面にも映し出されていて、絵全体に落ち着いたブルーの雰囲気が漂う。

そんなフェルメールの故郷デルフトで、「デルフト・ブルー」と呼ばれる美しい陶器が生まれ、今も世界中の人たちを魅了し続けている。チューリップがトルコに、風車が中東にその発祥を持つように、「デルフト焼き」もオランダ人の発明の品ではない。十六世紀、イタリアからの移民の陶工が伝えた「マヨリカ陶器」を発展させたものである。

真似ることが上手な日本とよく似ていて親近感を覚える。

そして、十七世紀にはアジアとの貿易を通じて中国からの繊細で美しく丈夫な陶磁器がオランダに入るようになって、これを真似るようになり、「デルフト焼き」は一層美しさを増した。

「デルフト・ブルー」の青は、酸化コバルトから生まれる。そして、軽くて硬いという特徴を持つ磁器は、硅酸カルシウムを多量に含むカオリン（磁土）を千度を超える高温で焼くことにより生まれる。この「青」と「磁器」が、時代の流れのなかで見事に合体して初めて「デルフト焼き」が生まれた。それは、ひとつの出会いの物語である。

上質な酸化コバルトは、イラン等で産出されるが、イランには、磁器を作る技術はなかった。そして遠く離れた中国・景徳鎮では、優れた磁器を作る技術は存在したが、良質の酸化コバルトは産出されなかった。

十三世紀初頭から台頭したモンゴル族は元王朝をおこし、強大な帝国を造り上げ、東西交易路を整備した。そのお陰で、酸化コバルトが景徳鎮まで伝わり、酸化コバルトを使った青の染付け磁器が生まれた。そして、青の染付け磁器はオランダ船に乗って欧州に運ばれた。

欧州では、中国趣味が大流行し、特に上流階級の間で陶磁器がもてはやされ、欧州からの注文に応じて中国で生産した。中国の陶磁器は、欧州での需要が大きかったことと、危険な海を渡ったことから、かなりの高値で売られ、いい商売になった。

しかし、十七世紀前半、中国が明王朝から清王朝への移行の時期を迎えたとき、中国国内が混乱し、磁器の生産が著しく低下した。欧州からの需要に応えることが難しくなるのも当然である。

だからといって、欧州からの需要が減るわけではない。なければ益々欲しくなるのは今も昔も変わりない。

そこでオランダ商人たちは、景徳鎮に代わる生産地はないものかと考えた。同じアジアで、オランダ東インド会社は、長崎の出島にも拠点を置いていたから、日本の伊万里焼きを知っていた。日本では、十七世紀、有田の山でカオリンの層が発見されて以来、朝鮮半島から渡ってきた陶工等によって磁器が作られていたのである。

というわけで、オランダ商人たちは、中国に注文していた染付けを日本に変更し、伊万里焼きの染付けを欧州へ運ぶことになったのである。

そのうち、欧州の人たちも、磁器のあまりの高値にそろそろ頭をひねり始め、何とかして欧州でも磁器を作れないものかと様々な試みがなされるようになった。この結果、欧州で初めて磁器の製作に成功したのが、ドイツのドレスデン近郊にある、かの有名な「マイセン磁器」である（一七〇九年）。これには、ザクセン候が多くのお金をつぎ込んだと言われている。日本の柿右衛門や古伊万里などを真似て染付けをした。

そして、オランダでも、海を渡った伊万里を真似て染付けをするようになり、ひとつの「デルフト焼き」が生まれた。

それは今でも「パイナカー」というデルフト焼きの一種として美しい色合いを出している。

十七世紀以来、デルフト・ブルーの伝統を守り続けているデ・ポルセレイネ・フレス（De Porceleyne Fles）工場では、二〇〇〇年プロジェクトとして大きな試みを行った。それは、十七世紀黄金時代の象徴であり、アムステルダム国立美術館の目玉ともなっているレンブラントの代表作「夜警」と全く同じ大きさで、全く同じデザインの「夜警」の「デルフト・ブルー版」を作る試みである。二人の陶工が専属で毎日作業に励んだ。

一九九九年、私は同工場を訪れ、この「夜警」の「デルフト・ブルー版」の作業の様子を見た。素焼きの白いタイルを重ねた、工房の壁いっぱいの大きなキャンバスの上に、陶工が丁寧にデザインを描いていた。ひとつ間違えば、間違えた部分のタイルを取り替え、最初から描き直さねばならない。真剣な作業である。

窯に入れる前の白と黒のモノトーンの「夜警」が「デルフト・ブルー」となってお披露目されたのは二〇〇〇年秋のことで、この作品は、ロイヤルデルフト・ミュージアム内で見ることができる。

三十．シーボルトのピアノ

日本へ一時帰国した際、萩へ旅行した。シーボルトが日本へ持ってきたと言われる日本最古のピアノが存在することを、日蘭文化交流の分野で活躍されている方から聞き、興味を持ったからだ。

萩の町は武家屋敷が続いており、何と言っても屋敷の白壁が見事で実に美しい。萩と言えば、吉田松陰の松下村塾を思い出す。高杉晋作、久坂玄瑞、伊藤博文、山県有朋等、日本の近代国家形成に大きく貢献した人物がこの松下村塾で学んだ。正に明治維新胎動の地というにふさわしい土地である。

そんな歴史豊かな萩の町の一角に熊谷美術館がある。この美術館は、もともと熊谷家住宅の敷地内にあり、母屋のほか三棟が江戸中期の商家を代表する建物として国の重要文化財となっている。そのうちのひとつに、「シーボルトのピアノ」はあった。

「シーボルトのピアノ」は、昔のままの姿を残す建物内のガラスのショーケースに展示されていた。時の流れがそこだけ止まっているような、そんな感覚に襲われた。

四代熊谷《くまや》五右衛門義比（一七九五―一八六〇）は、長崎に足疾の診療を受けに来た際、シーボルトと出会った。そして、オランダ語を熟知していたと言われる高野長英のオランダ語の論文を代作でシーボルトに提出し、「シーボルトのピアノ」を最終的に譲ってもらったそうだ。

シーボルトはオランダ東インド会社長崎出島商館付医師として長崎に着任する際にピアノを船で持参したが、更に、江戸参府にも道中持参した。よほどの音楽愛好家だったのだろう。或いはシーボルトにとって、江戸参府は日本コレクションを収集する絶好の機会だったことから、コレクションの代償としてピアノを持参したのかもしれない。


「シーボルトのピアノ」は、当時欧州でベートーベンやシューベルトが生きた時代の英国製のピアノで、ピアノの内部には、オランダ語で「我が友、熊谷へ、お別れのために」と書かれてある。サイン入りでピアノを贈るとは、シーボルトは四代熊谷五右衛門義比に心から感謝していたに違いないと思った。

というのも、日本では、社交辞令としての贈り物や、ちょっとした手土産のやり取りが人間関係の潤滑油として存在するが、オランダでは、贈り物を贈る場合は必ず贈るにふさわしい理由がいるからである。

またオランダ人は贈り物をされる行為に対して「なぜ？」と率直に相手に聞き返し、そのふさわしい理由がない場合は、贈り物を受け取らないのが習慣となっている。

あまりにも合理的主義が一貫していて最初は戸惑ってしまい、「あげるって言っているのだから、素直に有り難くもらえばいいのに」と日本人である私は思わずそう思ってしまう。

もっとも、シーボルトは、オランダ人ではなく「山のオランダ語」を話すドイツ人であったことから、果たしてシーボルトがどこまでオランダ人になりきっていたかは想像をめぐらすのみである。

三十一・オランダ版「マダム・バタフライ」

プッチーニのエキゾチックなオペラの名作「マダム・バタフライ」(「蝶々夫人」)は、明治時代の長崎を舞台にした、アメリカ海軍の中尉ピンカートンと、芸者になった十五歳の日本人女性蝶々さんの、ロマンチックな出会いから別れ、悲劇の再会、そして蝶々夫人の死へと展開するドラマチックなオペラである。

長崎でアメリカ海軍の中尉ピンカートンと結婚した蝶々夫人は、夫ピンカートンの帰りを待ちわびて三年が経過する。それでも、「帰ってくる」と言った夫の言葉を固く信じて、蝶々夫人はドラマチックで有名な純愛のアリア「ある晴れた日に」を歌う。ある晴れた日に海の彼方から一筋の煙が見えて、船に乗った夫が必ず帰ってくる、と。

その蝶々夫人の信念は無惨に裏切られ、三年後、ピンカートンはアメリカ人の妻を連れて蝶々夫人の前に現れる。全てを悟った蝶々夫人は、ピンカートンとの間にできた子どもを残して、独り静かに死んでしまうのである。

このオペラを現代的にアレンジしてミュージカル化したのが、かの有名な「ミス・サイゴン」である。この作品では、舞台はベトナム戦争の頃のサイゴンに移り、サイゴンでの、アメリカ兵とベトナム人女性の悲劇的な恋の物語となる。

二〇〇〇年を迎えた新年、私はオペラ「マダム・バタフライ」のハーグ公演を観た。オランダは日本に比べて、手軽にオペラを楽しむことができるので、日本では行きたくても観に行けなかったオペラを私はオランダで心ゆくまで楽しむことができた。

特に太陽の出る時間の少ない、寒さが身にしみるオランダの冬は、観劇のシーズンでもあり、多くの有名なオペラがオランダ各地で上演される。

二〇〇〇年は日蘭交流四百周年本番の年であり、オランダでの日本に対する関心も高まっているせいか、実に多くのオランダ人がオペラ「マダム・バタフライ」を観に来ていて、会場は満席だった。

日本のメロディーを散りばめたロマンチックで悲劇的なオペラ「マダム・バタフライ」は、国籍を問わず、多くの人の涙を誘った。私は、「マダム・バタフライ」を観ながら、ピンカートンと蝶々夫人を、ふとシーボルトとお滝に重ねた。

シーボルトは、一七九六年、南ドイツのウュルツブルクに生まれ、オランダ東インド会社長崎出島商館付医師兼自然調査官として長崎に来航した（一八二三年）。長崎に来る前、シーボルトは当時のオランダの植民地、バタビア（現在のインドネシア・ジャカルタ）で、砲兵連隊の軍医として配属されたが、シーボルトの医師としての力量と自然科学に関する知識及び関心の深さが高く評価され、長崎出島にやってきた。このときシーボルトは二十七歳だった。

シーボルトはオランダ東インド会社に雇われたドイツ人であるが、オランダ語とドイツ語は非常によく似た言語であるため、シーボルトのドイツ語訛りのオランダ語は、日本の通詞たちにも奇異に映った。

シーボルトは「自分は『山のオランダ語』を話すから」と言って通詞たちの懐疑をうまくかわした。オランダには、せいぜい東京タワー（三百三十三メートル）とほぼ同じくらいの高さの丘（三百二十一メートル）があるだけだが、オランダの地理を理解していなかった当時の通詞たちは、シーボルトは「ある山の麓の田舎出身のオランダ人だ」とすっかり信じてしまった。

任務の傍ら、シーボルトは長崎郊外に鳴滝塾を開設し、美馬順三、高野長英、伊東玄朴、高良斎をはじめ多くの蘭学者を育てたことは有名である。

若きシーボルトはまもなく、ひとりの日本人女性、お滝と恋に落ちた。シーボルトは伯父にあてた手紙にこう綴っている。

「わたしもまた、ふるいオランダの風習に従い、愛くるしい十六歳の日本人女性と結ばれました。わたしは、おそらく彼女をヨーロッパの女性と取り換えることはないと思います」＊

シーボルトの好きな青色の紫陽花に妻の名前をとって「オタクサ」と名付けてヨーロッパに紹介するほど、シーボルトのお滝への愛は深かった。そして、二人の間には愛娘おいねが誕生した（一八二七年）。

親子三人の出島における生活は、永遠に続くと思いたいほどの幸せ溢れる生活であったが、運命の神様はそれを許さなかった。

一八二八年、台風によって破損したオランダ船を修理するために、搭載された積荷をいったん下ろすことになり、この機会をとらえて、長崎奉行による積荷の検査が行われた。そのうち、シーボルトの積荷から日本地図や徳川の家紋をはじめとする御禁制品が見つかり没収されたのである。これが有名なシーボルト事件である。

最終的にシーボルトは長崎奉行より国外永久追放の判決が下され、一八二九年、長崎港を出航した。最愛の妻お滝と愛娘おいねとの辛い、もう二度と会えぬと覚悟しなければならない別れであった。

しかしながら、シーボルトとお滝の間では海を越えてしばらく手紙のやりとりが続いていたのである。海を越えて届く素晴らしい愛の形であった。

お滝は、シーボルトの深い愛に応えるために、長崎の細工士に自分と娘おいねの姿を木製の二つの容器の蓋に描かせて、それをシーボルトに贈ったりもしたが、お滝は一年後には伯父の勧めで再婚してしまった。当時の日本で母子二人で生活するには、あまりにも状況が厳しかったからだろうと想像に難くない。

シーボルトが日本を離れて二十九年経った一八五八年、日本はアメリカ、オランダ、ロシア、イギリス、フランスと通商修好条約を締結し、シーボルトの日本入国禁止が解除された。日本の地を二度と踏むことはないと覚悟したシーボルトにとっては思ってもみない喜びであった。

それまでには、シーボルトもドイツ人女性へレーネ・フォン・ガーゲルンと結婚し（一八四五年）、二女三男の父親となっていた。一八五九年、シーボルトは、十三歳になる長男アレキサンダーを伴って長崎に向けて出発した。三十年振りのお滝との再会を心から楽しみにしての旅立ちであったが、既にシーボルト六十三歳、長い年月の空白に対する不安もあったのは当然のことである。

シーボルトは、二度と会えぬと覚悟したお滝とおいねと感動的な再会を果たすが、三十年という月日の流れはその時間を取り戻すにはあまりにも長すぎた。

三年後の一八六二年、シーボルトは長崎を発ちバタビアに向かったが、このときの別れがシーボルトにとって、お滝とおいね、そして日本との今生の別れとなった。

その四年後、シーボルトはドイツのミュンヘン市内にある自宅で静かにこの世との別れを告げたのである。

シーボルトとお滝の国籍を越えた波瀾万丈の熱い愛のドラマは、時代を越えて人々の心を打つ。

日蘭交流四百周年本番の年を迎えた二〇〇〇年、オペラ「マダム・バタフライ」を観ながら、ふと私は、日蘭の歴史の狭間で翻弄された、シーボルトとお滝の熱く悲しき恋を想った。それはオランダ版「マダム・バタフライ」というべき純愛の物語である。

そして、アリア「ある晴れた日に」を聴きながら、遠き地の恋人を想い慕った幾ばくもの先人たちのことを想った。

＊「シーボルトのみたニッポン」（シーボルト記念館発行、１９９４）Ｐ．７より抜粋

三十二．自由と寛容の精神「エラスムス」

欧州の海の玄関とも言われ、その地の利と簡略な税関手続き等の配慮から、貨物取扱量世界第一位を誇るロッテルダム。この港町を始め、オランダにいると、「エラスムス」と名付けられたものを見聞することが多い。

ロッテルダムにあるハイレベルの国立大学「エラスムス大学」、一九五八年に設立された「エラスムス財団」、年に一度ヨーロッパの文化や社会に重要な貢献した者に贈られる最も名誉ある「エラスムス賞」、欧州連合（ＥＵ）の若人交流を促すための留学制度「エラスムス制度」。そして一九九六年にマース川に架けられた斬新なデザインの橋も「エラスムス橋」と命名されている。

いろいろなところで「エラスムス」の名を聞くたびに、人文学者エラスムスがこの世を去って四百五十年以上経った現在においても、オランダの誇りとして、またその象徴として存在する「エラスムス」を感じる。

マース川に架かる、ロッテルダムの象徴エラスムス橋。

エラスムスはルネッサンス時代最大の人文学者として、また近代自由主義の先駆者として知られている。彼はマルティン・ルターの宗教改革（一五一七年）に代表されるように宗教の問題が吹き出した時代に生きた。そして、「愚神礼賛」、「自由意志論」などの書き物を通じて、彼の思いを伝える努力をした。

そのなかでエラスムスが一番言いたかったことは、詰まるところ、「平和」と「協調」がこの世の中でいかに重要であるかということであり、それを実現させるためには、寛容の精神に基づく人々の情報の交換が必要だということである。

混沌とした時代にあって、低地「ネーデルラント」に留まることなく、ヨーロッパの多くの国々を訪れて、「平和」と「協調」の重要性を説いていった人物がエラスムスであった。

「啓蒙思想」という理念はフランス革命にその起源を発すると言われる。「生きる知恵」や「生きるための術」を人々に伝えるのが「啓蒙すること」であり、デカルト、モンテスキューやルソーなどによってその思想は説かれている。これらの思想は、のちに、近代市民社会の確立に実に大きな影響を与えていくことになるが、「啓蒙」の起源とされているフランス革命が起こる二百五十年以上も前に、「啓蒙」という言葉は未だ生まれていないものの、ヨーロッパの多くの国で人々を「啓蒙」したのがエラスムスである。

エラスムスが生きた時代は、オランダという国は未だ存在していなかった。自由と寛容の精神が息づくオランダがひとつの「国」としてまとまる前に、「ネーデルラント」の土地に住む人々の心に、「自由」と「寛容」の精神の種をまいた人物がエラスムスであったと言える。もちろん、彼の精神を育て上げたのは、ほかでもない「ネーデルラント」の土地であるが、いずれにしろ、エラスムスは、オランダの精神を集約した人物であることには違いない。

一五九八年六月二十七日、ロッテルダムからある五隻の船が出航した。ポルトガルやスペインの大航海時代からオランダへその主権が移っていこうとする時代にあって、夢と希望を乗せて世界の海に出ていくオランダの五隻の船には、「吉報」（Blijde boodschap）、「信頼」（Trouw）、「信条」（Geloof）、「希望」（Hoop）、そして「慈愛」（De Liefde）と、どれも幸先の良い名前が付けられた。そのうちの「慈愛」号は、約一年十カ月に及ぶ航海の末、一六〇〇年四月十九日、大分県臼杵湾に漂着し、日蘭両国の交流のきっかけを創ることになる。

この「慈愛」号は、もともとは「エラスムス」号と命名されていたのである。そして「慈愛」号の船尾にはエラスムスを形取った木彫が飾られていて、エラスムス像の右手に垂れ下がる巻物には、出航年である「一五九八」の文字が今もなおうっすらと残っている。

この「エラスムス」号は、出航当時百十人の船員が乗船していたと言われているが、臼杵湾漂着時には、生存者二十四名、そして歩ける者はわずか七名に過ぎなかったと言われている。このことからも当時の航海が命がけであったことが窺える。この船には、三浦安針として親しまれるイギリス人の船長ウィリアム・アダムスや「八重洲」の地名の由来となったオランダ人のヤン・ヨーステンが乗っていた。

エラスムス像は船と船員の無事を願う「神」として創られたに違いないが、この「エラスムス」号はオランダ船といっても、多国籍の船員で構成されているところに、エラスムスに象徴されるオランダのコスモポリタンの精神が感じられる。

実際、オランダは、「ロイヤル・ダッチ・シェル」や「ユニリバー」に代表される多国籍企業を世界でいち早く創った国であり、また、航海のリスクと利益をみんなでシェアしようという「リスク・シェアリング」及び「ベネフィット・シェアリング」の柔軟な発想から世界初の株式会社を生んだ国でもある。どちらも、世界の海を駆けめぐる十七世紀の「オランダ大航海時代」に出てきた考え方である。

一九九八年六月、日蘭交流四百周年の一環として、大使館が中心となり、「ロッテルダム・ジャパン・ウィークス」を開催した。

一五九八年六月、のちに日本に漂着し、両国の交流のきっかけを創った「エラスムス」号がロッテルダムを出航した。一九九八年六月はちょうどその出航四百周年にあたったことから、日蘭交流四百周年の本番である二〇〇〇年に先駆けて、ロッテルダムで日本紹介事業を行ったのである。私にとっては、自分が中心となって企画推進させてもらった最も想い出深い仕事のひとつである。

企画した様々な事業のなかに、「エラスムスの木彫里帰り展」があった。これは、「エラスムス」号の船尾に付けられていた「エラスムスの木彫」を里帰りさせようという企画であった。

そもそも、この「エラスムスの木彫里帰り展」の話は、オランダに在住しているある日本人からご提案頂いたものだった。ある日、私のところに次のような電話がかかってきた。

「オランダでは一九九七年から日蘭交流四百周年の事業をやっているのですね。日本に渡った『慈愛』号の船尾にエラスムスの木彫というのがあるのですが、実はこれにはいろんな経緯があって、現在は日本の重要文化財として東京国立博物館に所蔵されているのです。栃木県にある龍江院というお寺が木彫の所有者ということらしいです。このエラスムスの木彫はもともとオランダのものだし、日蘭交流四百周年の機会に是非とも里帰りさせてはどうでしょう」

この一本の電話から全ての仕事は始まったのである。こんな素晴らしい電話があったことを大使館内で報告し、開催の可能性を検討し、本格的に「エラスムスの木彫里帰り展」を「ロッテルダム・ジャパン・ウィークス」の目玉として開催するべく動き出した。

「里帰り展」をやることになったときは、確かに素晴らしい企画だが、こんなに物事がすんなり決まっていいものかという驚きと少しの戸惑いさえ感じたが、そんな新鮮な驚きも束の間、ひとつの物事を動かすのに、どんなに多くの時間と労力とそして多くの人を巻き込んでの緊密な協力体制が必要であるかを、身をもって経験することになった。

時間に追われながら、何もないところから物事を創り上げていく楽しさとそのしんどさを知った。

エラスムスの木彫がオランダに里帰りして公の場にその姿を現すまでには、振り返れば気が遠くなるほど細かい作業があった。そのときは、生まれて初めて動かす大事業なので、周りの指示やアドバイスに従って、試行錯誤しながらとにかく前に進むしかなかった。「あたって砕けろ」の精神で、何でもまずは試みてみた。

まずエラスムスの木彫の所有者である龍江院の住職宛に大使からの書簡を発送。それと同時に並行して、文化庁にも連絡し、貸出許可の手続きについて、ひとつひとつ聞きながら進めた。それが通ると今度は、東京国立博物館からオランダへ現場調査に来られた。エラスムスの木彫を貸し出すことのできる環境が整っているかどうかの確認である。

このときは、東京国立博物館の次長がお出でになり、入念に展示会場の空気や湿度の調節がどうなっているか自分の眼で確かめ、博物館側との綿密な協議が行われた。私は通訳として随行し、次長の細かく確実な調査の様子を拝見して、「プロ」とはこういう方のことを言うのだなあと感激した。

そして大使館では、「エラスムスの木彫」を運ぶための細かい保険や運送料の話を国際運送と国内運送の双方で話を進めた。基金や募金を利用してお金のやり繰りもしなければならず、弱音を吐いてしまいたくなるほどの地道な作業だった。

振り返れば、それはまるで優雅に泳ぐ白鳥の姿そのものであり、「美しい」とか「素晴らしい」と思うような物事の水面下では、必ずと言っていいほど一生懸命足をばたつかせている白鳥の脚の役を担う人たちが大勢いるのである。私は、「エラスムスの木彫里帰り展」でその白鳥の脚の一役を担ったひとりである。

いよいよ、エラスムスの木彫がオランダに到着して箱から出される日、エラスムスの木彫とともに空を飛んで駆けつけて下さった東京国立博物館の彫刻室室長に随行して展示会場であるロッテルダム海事博物館に向かった。

そして、エラスムスの木彫が室長の手によって木箱から出されるとき、その周りでは大勢のオランダ人記者がカメラを構えて見守っていた。私もオランダ人記者と並んで、じっとその様子を眺めた。オランダ人にとっては、四百年以上前にオランダで創られた木彫であり、オランダ精神の象徴であり続けた「エラスムス」にお目にかかれるものだから、妙な緊張感が漂った。

私は、「エラスムスの木彫」がようやくオランダの博物館に到着して、自分の眼の前にあるという、仕事を半ばやり終えた安堵感と喜びで胸が躍った。

ミイラのように白い布にしっかりその身を包まれた五十センチ程度のエラスムス像が出された瞬間、シャッターを切る音が何とも気持ちよく、またフラッシュがまぶしかった。ゆっくりと木彫を床に下ろし、一枚一枚丁寧にその布を取り外していかれる室長の眼は真剣で、その緊張感はそばで見ていた私にも感じられた。皆、静かに息を呑んで、エラスムスの目の周りに巻かれた最後の布が取り外される瞬間を待った。

フラッシュが四方八方から光り、エラスムス像がお目見えしたとき、実に感慨深かった。また凛々しいエラスムスの眼が印象的で、そばで見るエラスムスは写真で見た以上に立派で大きく感じられた。

こうして、エラスムスの木彫は、「ロッテルダム・ジャパン・ウィークス」の前夜にオランダに到着して、二日後にお目見えすることとなった。

室長はこの「ロッテルダム・ジャパン・ウィークス」開催中、ロッテルダムに滞在され、木彫のあらゆる細かいチェックをされた。その合間を縫って、私は室長からエラスムスの木彫にまつわる面白い話を聞いた。

「エラスムスの木彫は、昔から『カテキサマ』と呼ばれ、栃木県にある龍江院に祀られていたけれど、ずっとその正体は不明だった。ところが、一九二四年に、バチカンで開催されたある展示会にこの『カテキサマ』が出展されたとき、この展示会を観に来たオランダ人が、『これはエラスムスに違いない』と言って、その後オランダでいろいろと調査した結果、『カテキサマ』は、実は『慈愛』号の船尾についていたエラスムス像であることが判明したのだよ」

三百年以上もその名を知られることなく遠き日本で祀られていたエラスムスが、異国のバチカンでオランダ人によって初めて認知されたのである。そのとき、私はふとヨーロッパの多くの国で人々を「啓蒙」してきたエラスムスのことを想った。「エラスムス」という名前ほどにその「啓蒙」活動がそれほど認知されていない事実が、「カテキサマ」としてずっとその正体を世に知られなかったことと私の頭のなかで重なった。

そして、「啓蒙思想」の始まりは、フランス人でもイギリス人でもない、オランダ人のエラスムスにあるということに、いつか世間が大きな驚きをもって気付かされる日が来るような気がした。エラスムスは確かに時代の最先端をいき、世界を導いたのである。

エラスムスを生んだ、オランダという偉大な国のことを想った。オランダは、「時」という大きな流れのなかで、「自由」と「寛容」の旗を自国のシンボルとして掲げる「エラスムス」号そのもののような気がした。

三十三．ロシアの国旗に込めたピョートル大帝の想い

ロシアの国旗は、上から「白・青・赤」の順である。他方、オランダの国旗の色は上から「赤・白・青」である。ロシアの国旗の色を入れ替えるとオランダの国旗になる。これは偶然ではなく、歴史的な意味があるから面白い。

オランダの国旗のそもそもの始まりは、スペインからの独立戦争である「八十年戦争」（一五六八年―一六四八年）に遡る。独立戦争の先頭に立ってこれを指揮したオレンジ公ウィリアムの「オレンジ」と信仰を表す「白」、そして祖国への忠誠の象徴である「青」の旗を独立運動のシンボルとして、オランダは「一丸となって」スペインに立ち向かった。

確かにこの独立戦争中、敵国スペインに武器を売って一儲けしたオランダ商人たちもいたが、このときオランダはまだ国として成立していなかったわけだから、彼らは「敵国に武器を売りつけるなんてけしからん」と国から国家反逆罪を問われることはない。彼らは、「儲かるから商売をする」というごく自然な心理に基づいて、敵国にどんどん武器を売って儲けた。想像すらできないが、これがオランダの「経済の自由」であった。

一方、多くの「ネーデルラント（低い土地）」に暮らす人々にとっては、「太陽の沈まぬ国」と言われたスペイン王フィリップ二世の新教弾圧や新課税の要求は、我慢の限界を越えるものであった。そして、オランダ北部七州はユトレヒト同盟を結んで一致団結して、大国スペインに立ち向かった。八十年という長い年月を戦い抜いて勝利をものにした。

「八十年戦争」は「ネーデルラント」の人々が初めて「国」という認識を持ち始めたという点でオランダの歴史の中で極めて意味の大きな出来事であり、そのなかで「オレンジ・白・青」の旗は、人々の独立への士気を高める役割を果たした。

見事、独立を成し遂げた後、オランダは「オランダ連邦共和国」（一六四八年成立）として出発した。海洋国オランダは世界のあらゆる海で「オレンジ・白・青」の国旗を翻したのである。

海上では「オレンジ」はどうも識別しにくかったらしい。水平線に沈む美しい夕日の色に限りなく近い色でもあるから見にくいのかもしれない。

識別しにくい等との理由から「オレンジ」に取って代わったのが、同系色の「赤」であり、「赤・白・青」の旗がオランダの国旗として使われるようになり現在に至っている。「赤」は多くの戦いで示されたオランダ国民の勇気を表している。

オランダの国旗には「オレンジ」がなくなってしまったが、オランダとの昔からの関係をそのまま国旗の色のひとつとして「オレンジ」を用いている国がある。ケルトの国、アイルランドである。

アイルランドの国旗は、左から「緑・白・オレンジ」の色であるが、「緑」は古代ケルト、アングロ・ノルマン系を祖先とするアイルランド人を、「オレンジ」はオランダのオレンジ公ウィリアムを支持したプロテスタント信奉者を、そして「白」はこの両者の和解を表している。

オレンジ公ウィリアムの子孫、ウィリアム三世はイギリス王室の娘メアリを妻としたことから、一六八八年、無血革命として知られるイギリスの名誉革命においてイギリス国王として迎えられた。この名誉革命はそれまでの「絶対王政」から、王の特権が議会にコントロールされる「立憲君主制」へ移行した重要な出来事である。

このことはイギリスの支配下におかれたアイルランドにも多大な影響を及ぼした。そしてウィリアム三世を支持するプロテスタントの一派が、のちにオレンジ党を結成した（一七九五年）。これが、アイルランド国旗の「オレンジ」の起源である。

十七世紀後半、当時のロシア皇帝ピョートル大帝（一六七二年―一七二五年）はオランダの国旗をロシアに持って帰った。そして、オランダの国旗を用いてロシアの国旗としたのがロシアの国旗のそもそもの始まりである。

ロシアは十七世紀末から十八世紀初頭にかけて、日本の明治維新に相当するロシア近代化の始まりの時期を迎えていた。

一方、当時のオランダは世界の海を制覇し、黄金時代を迎えて繁栄する「先進国」であった。そんな時期に先進国オランダを訪れて、祖国に戻ったピョートル大帝は、オランダの国旗を用いた「白・青・赤」の旗をロシア近代化のシンボルとしてロシアの国旗として定めた。

そこには、「オランダに倣って国を立て直したい」というピョートル大帝の祖国ロシアを想う気持ちが国旗に込められているのかもしれない。

また、ロシアの国旗を見るにつけて、ロシア近代化初期当時の、強靱で躍動的な「追いつけ、追い越せ」精神が何となく感じられて、その当時を想像するだけでも楽しい。

一六九七年、ロシア皇帝ピョートル大帝は、ロシア人に先進技術を学ばせるために、西ヨーロッパに二百五十名の大使節団を派遣した。「国を再建するためには、まずは強い海軍を創ることから始める必要がある」とピョートル大帝は考えた。

十七世紀、オランダは世界を制覇する海洋国として知られ、オランダの進んだ造船技術の評判は遥か遠いロシアにも届いていて、ピョートル大帝の耳にも入っていた。彼は、幼少の頃からロシア在住の外国人との交わりを通じて、数学や砲術、造船技術を学び、様々な西欧の情報を得ていた。

好奇心の強いピョートル大帝は、ピョートル・ミハイロフ（Pyotr Mikhailov）と変名して身分を隠し、オランダ東インド会社（VOC）の大工として働きながら、オランダの造船技術を学んだ。ピョートル大帝二十五歳のときである。


アムステルダムから十五キロほど北上したところに、ザーンセ・スカンス（Zaanse Schans）という風車村がある。今ではオランダきっての観光のメッカとなっていて、オランダを訪れるときには必ず立ち寄る風車村である。オランダといえば「風車とチューリップの国」を真っ先に連想する多くの日本人にとってみれば、期待通りの観光地であり、風車のなかを見学したり、木靴工場やチーズ工場でのデモンストレーションを楽しんだりと何時間いても飽きないところである。

「ザーンセ・スカンス」とは、「ザーン川の堡塁」の意味であり、ザーン川の堤防に沿って造られた典型的な「堤防村」（dijkdorpen）がこのあたりに点在した。ザーン川のほとりに位置するこのあたり一帯は、オランダが海洋国として栄えた十七世紀、欧州最大の木材集積所として知られていた。

当時、ザーン川のほとりには、材木を切る専用の風車が二百基以上あったと言われており、この風車の動力を利用して北欧諸国から輸入された木材を製材した。そして造船所をも設けて、材木で捕鯨船をはじめとする大型船を製造した。

できあがった船は、そのままザーン川の流れに乗せられ、アムステルダムから世界の海に出ていった。アムステルダムと北海を結ぶ北海運河（Noordzeekanaal）が完成する一八七六年までは、アムステルダムを経由して、ゾイデル海を北上するこの経路が北海に出る一番の近道であった。

輸入された木材を「風の力」を利用して製材し、その場で世界の海を駆けめぐる船を造り、「川の力」を利用して、できたての船をそのままアムステルダムに送るこのシステムは集約的で無駄がなく、オランダ人の合理的な発想が見事に生きていて面白い。

ザーン川のほとりに立って当時の様子を想像するだけでも、身震いするほどのオランダの凄さを感じることができるのだから、ましてや好奇心旺盛な若き青年が実際にザーン川のほとりから大規模で合理的な一連の作業の様子を見聞きしたら、心を動かされないはずがない。

若きピョートル大帝は「ここで是非修行したい」と思い立った。そしてピョートル大帝が四カ月間、大工として滞在した場所が、ザーンセ・スカンスから車で数分行ったところにある街、ザーンダムである。

ピョートル大帝が滞在した家は、当時のそのままの様子を伝える形で、今もなお一般公開されている。歴代のロシア皇帝を始め、多くのロシア人がこの地を訪れていて、一九九三年には、ソ連時代大統領として活躍したゴルバチョフ大統領もピョートル大帝の家を訪れている。

ロシア近代化の父と謳われるピョートル大帝がその礎を学んだ土地ザーンダムは、ロシア人にとって格好の巡礼地となっているのである。

ところでピョートル大帝は、世界一背が高い現代のオランダ人以上に背が高かった。その背の高さは二メートル十センチと伝えられており、十七世紀当時にしては巨人とも言える身長である。そんな背の高くて高貴な方が、あんな小さな家で暮らしたとはさぞ窮屈だったのではないだろうかと余計な心配をさせるほど、ピョートル大帝の家は小さく質素である。ピョートル大帝の家の中を歩きながらその説明を読むと、オランダの大工になりきって謙虚に学ぶ若き青年ピョートルが容易に想像できて楽しい。

ピョートル大帝はオランダ語を上手に話せたため、オランダ人との意志疎通にも困らなかったという話も残っていて、ロシアに戻ってからもピョートル大帝はロシアの第二言語としてオランダ語を採用しようと検討したとも言われている。短い期間にあの難しいオランダ語を習得したピョートル大帝は、よほど語学のセンスがあったのだと思う。

若きピョートル大帝は一生懸命造船技術を学ぶ傍ら、実に多くのことに興味を示した。医学、出版、芸術、地図製作、造園等のほか、アムステルダム市民の画廊であるクンストキャビネット（Kunstkabinet）や珍品陳列室といういわゆる博物館のはしりのようなものにも興味を示していた。

オランダにおける博物館は、ナポレオンによるオランダ統治時代（一七九五年―一八一三年）に初めてフランスからオランダにもたらされたものなので、この頃にはまだ博物館と言えるものはなかった。

珍品陳列室は英語に訳すと「Museum of Curiosities」（好奇心の博物館）となり、好奇心旺盛なピョートル大帝が興味を示すに値する多くの珍品が並んでいたことに違いない。

また、ピョートル大帝はオランダの都市化にも注目した。さすがは一国の主である。一六七五年当時は、オランダの総人口約二百万人のうち、その十パーセントにあたる約二十万人がアムステルダムに住んでいた。統計上ではオランダ総人口の四十五パーセントが都市に住んでいたとも言われたほど、オランダは都市化の観点では極めてユニークな側面をもっていたため、大帝は大いに関心を寄せた。

四カ月の滞在を経て、多くの知識と技術を身につけてピョートル大帝はロシアに戻った。そして、ザーンダムで学んだ造船技術を生かしてロシア海軍の基礎を見事に創り上げた。また、ネバ川のほとりに「西ヨーロッパへの窓」となるロシアの新都サンクトペテルブルクを築いた（一七〇三年）。アムステルダムに倣ってサンクトペテルブルクの都市計画を進めたと言われており、ピョートル大帝のオランダに寄せる想いが感じられる。

ロシアに駐在経験のあるオランダ人記者によれば、サンクトペテルブルクの街を歩くと、建物の造りや運河の多さ等、随所にオランダを感じることができるらしい。また、世界三大美術館のひとつであるエルミタージュ美術館には、ピョートル大帝がオランダで収集したコレクションが「ピョートル大帝ギャラリー」に収められていて、そのカタログを見るだけも、「こんなものまで持ち帰ったのか」と思わせるほど、ピョートル大帝の幅広い好奇心に驚かされる。

ピョートル大帝の創ったサンクトペテルブルクの街の中心には、ピョートル大帝がハンマーを持ち上げて造船に励んでいる大きな像が立ち、また同じレプリカがザーンダムの街の広場にも立っている。この前に立つと、きっと、時と空間を越えてロシア人にもオランダ人にも大いに愛され続けるピョートル大帝の人柄に大きな魅力を感じるだろうと想像する。

一九九七年にオランダとロシアの両国でピョートル大帝生誕三百周年が大々的に祝われたこ

ザーンダムの広場の真ん中に立つピョートル大帝の像。

とを想い出す。やはり愛すべき、そして讃えられるべき人物なのだろう。時を越えて慕われ続ける人類普遍のエッセンスを、大きくハンマーを振り上げるピョートル大帝の像に感じる人は少なくないに違いない。

サンクトペテルブルクは、将来、ゆっくりと訪れてみたいと思う街である。

三十四．マタハリ（暁の瞳）の物語

「死ぬことも生きることも何でもない。全てが幻想である」（'De dood is niets; ook het leven niet. Alles is illusie'）。

これは、ベル・エポック（よき時代）の時代にパリで踊り子としてその名を馳せ、第一次世界大戦中、ドイツ及びフランスの二重スパイとして働き、フランス軍による射撃処刑でこの世を去った、オランダ人女性マタハリ（一八七六年―一九一七年）の残した言葉である。マタハリは世界のスパイ史上、忘れ去られることのない妖艶な女性スパイである。

一八七六年、マタハリは、オランダの北部フリースラント州の州都レーウワールデンに生まれた。フリースラント州は、昔ながらの藁葺き屋根を持つ大農家が平原の中にぽつぽつと見られ、小さな村が点在する自然豊かで都会のせわしさのない静かな土地だ。

人々は、オランダ語とは違ったフリース語を話す。ランドスタッドと呼ばれるアムステルダム、ロッテルダム、ハーグ等を含む地域から車で行くこと約二時間半、フリースラント州の村に入ると、その独特の文化と人々の心の温かさを随所に感じることができ、世の中の喧噪を忘れ、ゆったりと時間が流れる。

マタハリが生まれ育ったレーウワールデンもそんなフリースラント州の街のひとつであり、その生家は、激動の時代を生きたマタハリの生涯を展示する博物館として、昔の様子を今に伝えている。

マタハリの本名は、マルガレータ・ヘールトラウダ・ゼレ（Margaretha Geertruida Zelle）という。彼女は帽子屋商人の家に生まれ、四人兄弟の長子として裕福な家庭で育った。人も羨むほどの満ち足りた生活であったが、マタハリが十三歳のとき、父親の事業の失敗により破産に追い込まれ、その翌年、両親が離婚、引き続き母親がこの世を去ってしまった。十四歳の少女が受け入れるにはあまりにも大き過ぎる悲惨な出来事の連続であった。

残されたマタハリを含む四人の子どもたちは、ばらばらになって親戚の家を転々としながら苦しい生活を強いられた。マタハリも何人かの親戚を訪ねて暮らした。

そんな生活が続いたある日、ハーグの伯父の家でのこと、マタハリは新聞の広告欄に「オランダ領インド（現在のインドネシア）から有給休暇で帰ってきたひとりの軍人が、結婚を前提として感じのよい女性を探している」という広告を目にした。彼女が十八歳のときである。

広告の内容にマタハリの心が揺れた。自分にとってこれが人生の新たなスタートを切る契機になるのではないかと。

マタハリはその当時、仕事に就いていなかったことに加え、何よりも軍服を身にまとった男が好きだった。広告の一文から大きな想像と夢が彼女の頭の中で巡った。

のちにマタハリは「軍隊に属さない男たちに私の関心はない。軍人はあらゆる危険に喜んで立ち向かい、あらゆる冒険のなかに生きる英雄であると私の眼には映るのだ＊」と語っているほど、軍服を着る男に夢とロマンを感じていたのである。

そして、その広告に応える形でスコットランド出身の軍人ルドルフ・マックレオド（Rudolph Mcleod）と交際を始め、十九歳の若さで二十歳年上のルドルフと結婚することを決意。アムステルダムの市庁舎で挙式し、ホテル・アメリカンのカフェで二人きりの夕食を楽しみ、マタハリは新たな人生を歩み始めた。

このホテル・アメリカンのカフェは、アールデコ調の内装が何とも上品な、雰囲気のあるカフェである。この店は今もなお、アムステルダムの繁華街であるレイツェプレインの広場のすぐ横に位置し、今も当時そのままの様子を伝えている。新たな人生を歩み始めた幸せなカップルを引き立たせる、実に素敵なカフェだ。このカフェでお茶を飲みながら若きマタハリのことを考えると、幸せ溢れるマタハリの喜びが、同じ女性として自分のことのように感じることができる。

このように幸せな結婚生活のなかで、マタハリは男の子を授かった。そうこうしているうちに夫ルドルフの二年に亘るオランダでの有給休暇も終わり、オランダ領インドに戻る日がやってきた。

マタハリは、初めて訪れるオリエントの国に胸をときめかせながら、夫ルドルフとともにオランダ領インドに渡った。その一連の出来事の流れは、マタハリがレーウワールデンで過ごした幼少時代のように愛情溢れる幸せな生活を取り戻したかのように思えたが、運命の神は、マタハリにまたもや試練を与えたのである。

マタハリは、当時オランダ領インドのコート・ダジュールと呼ばれたスラバヤの南に位置するマランで約五年間を過ごしたが、この間、娘の誕生という喜びの絶頂を味わう反面、息子の死という耐え難い悲しみも味わった。

これがひとつのきっかけとなり、次第に夫ルドルフとの仲も疎遠になっていった。そして、オランダ領インドからアムステルダムに戻る頃には、とうとう破局の時期を迎え、ルドルフとの生活に終止符を打った。

幸せ溢れる想い出もその幸せの証である幼き娘も過去のものにして、全てを捨てて、マタハリが向かったのは花の都パリだった。当時、離婚した女性を唯一迎え入れてくれる土地がパリだったのである。

パリでの貧困と孤独の生活のなかでようやく見つけた仕事が、オリエント・ダンサーとして踊ることであった。「マタハリ」という名のダンサーとして。

「マタハリ」とはマレー語で「暁の瞳」を意味する。「暁の瞳」という言葉には、夜が必ず明けていくように、悲しみや苦しみもいつかは終わりを告げて幸せなときが必ず訪れることを信じる「マタハリ」の気持ちが反映されているようで、悲しくも美しい響きが漂う。

オリエント・ダンサー「マタハリ」は、妖艶で神秘的な踊り子として全欧で人気を博した。当時はベル・エポックの平和な時代にあって、西欧諸国のオリエント文化に対する一種の憧れがあったこととも重なったことも、その人気に拍車をかけた。

当時のオリエントへの憧れは、絵画や文学の世界においても顕著である。

例えば、この時代に生きたフランス人画家ポール・ゴーギャンは、南の島タヒチ島に住んだ。決して楽ではない、孤独と貧困のなか、放浪の生活を通して数々の傑作を生み出していった。それはオリエント世界のなかに、自然で純粋なものを求めたゴーギャンの傑作である。

そのゴーギャンの波乱に満ちた生き方に感銘して南の島に向かったのがサマーセット・モームであり、彼はタヒチ島でのゴーギャンを題材として、「月と六ペンス」を書き上げたのである。

このような時代にあってマタハリは、パリのムーラン・ルージュのみならず、イタリアはミラノのスカラ座を始め、モナコ、スペイン、ドイツ等でその美しき容姿と踊りを披露した。マタハリは踊ることによって、彼女にとっての「夜」がいつかは明けるものと信じるかのように踊り続けた。


一九一四年、オーストリアのセルビアに対する宣戦布告に始まり、世界の多くの国を巻き込んだ第一次世界大戦が勃発、ベル・エポックと言われた時代はこれで終わりを告げた。

戦争が始まった一九一四年、マタハリはベルリンに滞在していたが、オランダ人であったためドイツ領土への侵略者としていつでも逮捕される可能性があったことから、再びアムステルダムに舞い戻った。

この頃、イサック・イスラエルがマタハリをモデルに一枚の絵を描いている。その絵は今、「アルルのはね橋」や「星空のカフェテラス」を始めとする二百七十八点ものゴッホの作品を集めた、オランダ中部の深い森のなかにあるクローラー・ミューラー美術館に展示されている。

その絵には、黒い装束を身にまとい、一メートル七十センチのすらりとした背丈が印象的なマタハリがキャンバスいっぱいに描かれていて、ベル・エポック（よき時代）を謳歌したオリエント・ダンサーの威厳が感じられる。

一九一六年、マタハリは再びパリに行くことを決心。オリエント・ダンサーとして名を馳せたパリはマタハリにとっての心の故郷でもあり、お金を稼ぐことのできる居心地のよい場所であった。

そんなマタハリのことを聞きつけたドイツの領事カール・クラマー（Karl Cramer）はフランスでドイツ軍のために諜報活動して欲しいとマタハリに近づいた。約束された報酬の大きさと、「スパイ」という立場を利用して大好きなフランスを助けたいという気持ちからマタハリは、ドイツ軍のスパイとして働くことを決意した。

彼女は「H21」というコード名を与えられ、パリに向かった。マタハリにとっては、戦争や諜報活動など関係なく、「パリに向かうこと」で彼女自身のなかの新たな冒険を求めたのである。

パリでは、昔と同様に多くの軍人たちと交わり、次第にロシア陸軍大尉のファディメ・マスロフ（Vadime de Massloff）に大きな恋心を抱くようになった。しかしこの恋がマタハリにとって全ての誤りとなってしまった。

ロシアはフランスとともに連合国側であり、ロシア軍人と恋に落ちることは、ドイツの諜報活動を行うマタハリにとって大変危険なことであった。しかしマタハリはそんなことはどうでも良かった。「好きな人に会いたい」という純粋な気持ちから、外国人が軍地に入るための特別許可証をもらうためにフランスの諜報局のドアを叩いたのである。

諜報局長であったジョージ・ラドー（Georges Ladoux）は、マタハリがドイツ軍のスパイであることを薄々感じ取っていたため、逆にフランス軍のスパイとして働かないかと持ちかけた。マスロフ大尉への深い想い、そして結婚に必要な資金欲しさのあまり、マタハリはこの誘いを受けてしまった。ここに二重スパイとしての「マタハリ」が誕生するのである。

一九一六年、オランダへ向かう船の中、連合国側による乗客員の大がかりな検査が行われ、マタハリはドイツ軍のスパイ容疑をかけられることになった。このときマタハリは、自分はフランス情報局のために働いていると主張したため、ラドー局長へその真偽につき確認の知らせが入った。しかし彼は自分の身の危険を恐れ、「自分とマタハリとは何も関係ない」と逃げてしまったのである。そして、この事件以降、ラドー局長はマタハリとの接触を完全に断ち切ってしまった。

そんな状況の下、一九一七年、マタハリはいったんスペインへ逃亡するのだが、再びドイツ諜報機関の命令でパリに戻ったところをドイツ軍のスパイとして逮捕されてしまったのである。

一九一七年十月、目隠しされることも、身体を縄で括られることも拒否して、マタハリは銃を構えたフランス兵十二人の前に立った。皆がまだ目覚める前の静かな早朝、パリ郊外の古城でマタハリはその生涯を閉じたのである。

マタハリの生きた人生を想うと、彼女にとっての暗い「夜」は、死を迎えることによって初めて暁の時を迎えたのかもしれない。そう思うと、「死ぬことも生きることも何でもない。全てが幻想である」と語ったそのマタハリの言葉に、時代に翻弄されたひとりのオランダ人女性の生き方が集約されているようで、悲しい調べに合わせて踊るオリエント・ダンサー「マタハリ」の姿が眼に浮かんでくるのである。

* E.Gomez Carillo, Het liefdeleven van Mata Hari en haar dood (Amsterdam 1925) 107-108.

三十五．ピルグリム・ファーザーズの学舎

私が一年半住んだアパートがあり、ライデンで最も美しい通りと言われる「時計の小道」、クロックステーグ（Kloksteeg）を行くと、十四世紀後半から十五世紀前半にかけて建てられたゴシック様式のセント・ピーターズ教会が前方に見える。

「時計の小道」は名前からして洒落ているが、この通りには時代を物語る深いグレーの石がびっしりと敷き詰められている。特に雨上がりには雨の滴で光る石畳がしっとりとした趣を醸し出して、実に美しい。また、洒落たフレンチ・レストラン三軒とアンティーク・ショップ一軒が軒を連ねており、これもまた「時計の小道」の雰囲気に華を添えている。

石畳のことをオランダ語では「キンデレコッピェ」（kinderkopje）というのだが、これを日本語に直訳すると「子どもの頭」となる。オランダ人によれば、ちょうど子どもの頭の大きさの石が敷き詰められているからだそうだ。

現実的なオランダ人の発想であるから、石畳を「子どもの頭」というオランダ人の気持ちも理解できるのだが、私としては折角の雰囲気が壊れてちょっと残念だと思ってしまう。

その情緒溢れる石畳を歩き、セント・ピーターズ教会の前まで来ると、その教会の向かいにはジョン・ロビンソンが率いたピルグリム・ファーザーズの住んだ場所があり、今もなお、十七世紀当時そのままの様子を残している。

大きな扉を開けて中に入ると、季節の花々が整然と植えられた美しい中庭が視界に入ってくる。外からは想像もできないほど広くて静かな空間が広がっていて、それは秘密の花園と名付けたくなるような美しさである。オランダではこの中庭を囲む住宅のことを「ホッフィエ」(hofje)というが、驚くべきことは、十七世紀に建てられた「ホッフィエ」に今もなお、人々が住み続けていることである。「ホッフィエ」は、心落ち着く住居としてオランダ人の間でも人気が高いばかりではなく、街の中心部にありながら、世の喧噪を逃れ、心に潤いを与えてくれる憩いの場としても存在している。

アメリカ合衆国の創始者として讃えられるピルグリム・ファーザーズはメーフラワー号に乗ってアメリカに渡った(一六二〇年)。中学校の教科書では「ピルグリム・ファーザーズはイギリスからアメリカにメーフラワー号に乗って渡った」と習うが、直接イギリスを出発してアメリカに向かったのではない。まず彼らは、オランダにやって来て(一六〇九年)、十二年もの長い年月をライデンの「時計の小道」沿いにある「ホッフィエ」で暮らしたのである。

オランダは十六世紀末までには、宗教や思想に対する寛容の国として知られた。それは、近代自由主義の先駆者と言われるエラスムス（一四六六年―一五三六年）の哲学にみる、他に対する寛容でもあるのだが、同時に知識や技術を持つ外国人をどんどん受け入れて自国を富ませてきたオランダの歴史と重なって面白い。

イギリス国内で宗教的な迫害を受けた清教徒（ピューリタン）の分離派と呼ばれるピルグリム・ファーザーズは、寛容の国オランダをめざして、イギリスから海を渡ってやってきたのである。彼らは、当時人口の三分の一が外国からの宗教難民から成る、コスモポリタンの空気が漂うライデンを住居地として選んだ。

十七世紀初めまでには、ライデン大学は国際的な名声を得ており、このことも、彼らがライデンを選んだ大きな要素になったと言われている。

ジョン・ロビンソンがライデン大学の神学部の講義を聴講して、自由な議論を楽しみ、ピルグリム全体の思想に大きな影響を与えたのをはじめ、ピルグリム・ファーザーズはライデンでの生活を通じて実に多くのオランダの思想やシステムを学んだ。

そしていよいよ、一六二〇年、ロッテルダムのデルフスハーフェン（Delfshaven）を出航、いったんイギリスのサウザンプトンに寄って、更なる参加者を得、総勢百二名を乗せたメーフラワー号はイギリスのプリマスを出航しアメリカに向かった。そして北アメリカのマサチューセッツに上陸し、建設した植民地をイギリスの出航地の名をとって、プリマスと名づけた。

私は高校時代の一年間をアメリカ、ジョージア州にある一田舎町の普通高校で留学生として過ごした。アメリカ史が高校での必須科目だったため、日本の電話帳より厚い歴史の教科書を必死になって読んだことを覚えている。日本の鎖国時代の長さにも及ばない二百年余りの短いアメリカの歴史が分厚い教科書に収められていて、このときほどアメリカ人の祖国に対する誇りと愛国心を感じたことはない。

結局、私は授業についていけなくなり途中で挫折してしまったのだが、ピルグリム・ファーザーズが登場する最初の部分は、辞書を片手に必死になって読んだことを覚えている。アメリカ建国の歴史は、ピルグリム・ファーザーズを介してオランダとは切っても切れない深い関係にあって、この関係は現在のアメリカでも感じることができる。

アメリカは、成文憲法を持つ最も古い共和国として知られ、三権分立が早くに確立した。政治と宗教を分けるという発想は、ピルグリムがライデンに滞在する十二年間に学んだ思想を反映したものである。

メーフラワー・コンパクト（Mayflower Compact）は民主主義に基づく議員選挙を規定しているが、これもピルグリム・ファーザーズがライデンで学んだ知的財産であり、すなわちアメリカの民主主義の基盤は、オランダからやってきたと言うことができる。

更に言えば、宗教儀式によらない届出結婚の制度も、ピルグリム・ファーザーズがライデン市庁舎での結婚式を見て、またライデンに滞在したピルグリム・ファーザーズの一員が経験することによって、オランダからもたらされたものである。

アメリカの大切な祭日のひとつに、十一月に行われる「サンクスギビング・デー」があるが、この「感謝祭」も実はもともとオランダはライデンの祭日にその起源を持つものなのである。


一五七四年、スペインからの独立戦争中、ライデンはスペイン軍に包囲され、百二十九日間の籠城戦を強いられた。この間、実に人口の三分の一が餓死、または病死する厳しい戦況であった。

そんななかライデンは、思い切って堤防を決壊させることにより、スペイン軍を撤退させ、独立戦争で国として初めての勝利をあげることができた。この勝利を記念してライデンでは、毎年十月三日に賑やかなお祭りを行う。

十月三日の朝には、勝利を収めたときのファン・デル・ヴェルフ市長像の立つ、市内の運河沿いの緑豊かな公園にライデン市民が集まり、独立戦争の際、市民の士気を高めるために歌われた歌をみんなで歌ってお祭りが始まる。この十月三日のお祭りは、ライデン市民にとって、スペイン軍から解放された「感謝祭」であり、この感謝祭をライデンで何度も経験したピルグリム・ファーザーズが、アメリカに行って始めたのが、かの有名なアメリカの「サンクスギビング・デー」の始まりなのである。

ライデンはアメリカの創始者と言われるピルグリム・ファーザーズの学舎であった。多くのアメリカ人がピルグリム・ファーザーズ縁の地ライデンを訪れるが、そのなかには、ピルグリム・ファーザーズの末裔であるアメリカのブッシュ元大統領もいる（一九八九年ブッシュ元大統領ライデン訪問）。

一七七六年、アメリカは独立宣言を行い、一七八三年、パリ条約によってその独立が承認されるが、オランダは、自由の国アメリカの独立を世界中のどの国よりも早く支持した。

その背景には、アメリカに植民地を有する英国やフランスに対抗するという政治的背景があるが、アメリカにとっては、アメリカ建国の学舎とも言えるオランダがどの国よりも最初に独立を支持したことは特別な喜びであったと思うし、今でもその感謝の気持ちは忘れられていない。例えば、ハーグにあるアメリカ大使館で年に一回行われるナショナル・デー・レセプションでは、オランダ各界の多くの要人を前に、駐オランダアメリカ大使は、毎年のスピーチの中でその感謝の気持ちを今もなお伝え続けているのである。

ライデン市内を一望できる城塞の近くには、ライデン・アメリカ・ピルグリム博物館がある。ここには、当時ピルグリムが使ったとされる椅子や壺、書類などのほか、その広さからはとても想像できないほど多くのものが展示されている。そして、入場料を払ってなかに入ると、ピルグリムの研究に熱心に取り組んでいるアメリカ人のバングス館長が、ひとつひとつ手にとって丁寧に説明して下さる。そのバングス館長の説明は、ピルグリムの歴史に始まり、アメリカとオランダの歴史的関係から世界へと広がる実にダイナミックなもので、オランダが世界に与えた影響についてつくづく考えさせられるのである。

二十六．壁に刻む想い出

ライデンはスペインからの独立戦争で、初めて勝利を勝ち取り、オランダの独立に向けて大きな役割を果たした街である。ひとつの国としてうまく運営していくためには、国を運営する優秀な人材を育成していくことが必要であり、その人材育成の機関として、一五七五年、ライデン大学が設立された。

まず、国の秩序形成の基盤となる「法」と精神的拠り所としての「神」を徹底的に学ばせることが大切であるとの考えから、法学部と神学部の二つの学部が設立された。その後、ライデン大学に良き人材を集めるために、世界中から有名な教授を招いた。相対性理論の開拓者として有名で一九二一年にノーベル物理学賞を受賞したアインシュタインもその一人だ。

アインシュタインが有名になる前、ライデン大学へ来たいという彼の希望は惜しくも叶わなかったのだが、後年、その名が知られるようになってから、ライデン大学に特別教授として招かれ講義したことを、ライデン大学日本学部のボート教授から聞いた。ライデンの街の中心にある運河沿いには、「アインシュタイン」という名の学生に人気のカフェもあり、そこにはアインシュタインの様々な写真が飾られ見ていて飽きることがない。

ライデン大学にはキャンパスはない。十二万人程度のこぢんまりとしたライデンの街全体に学部が散らばっていて、街には若い学生が溢れ、街全体がキャンパスであるかのような、若者のはつらつとしたフレッシュな雰囲気が漂っているのである。

大学課程を卒業すると、日本では「学士」の称号がもらえるが、オランダでは「修士」の称号がもらえる。それだけに、卒業できる学生は少なく、中退していく学生も多い。「大学」は本当に学問をしたい人のみに開かれた学舎であるという考え方から、大学に入学することは誰でもできるが、大学を卒業することは並大抵のことではない。それでもなお、オランダでの高等教育就学率（十七歳—三十四歳）は、フィンランドと並んで欧州で最も高いのである。

オランダの大学の卒業式は年に四回あって、卒業論文の進み具合によって、いつ卒業するかを自分で決めるシステムになっている。日本のように、四年で卒業するのが普通であるというようなプレッシャーはない。日本の場合入学は難しいが、それ以降は普通に大学生活を送れば、四年後の三月には、大抵は入学したときと同じ顔ぶれで卒業の日を迎えることができる。四年で卒業できない人はそれほどいない。

オランダでは個々のペースで進級や卒業に必要な単位を取っていく。太陽から何となく遠いと感じるオランダで最も太陽の光を浴びることのできる、気持ちの良い季節である五月に、大学では通常学期末試験が行われる。つまり、学生にとっては、最高に気持ちの良い季節に試験勉強に集中しなくてはならないという、大変恨めしい状況に苦しめられるのである。

私には、四年の大学課程を修了するのに八年、十年かかったというオランダ人の友人がいるが、彼らと話すと「学生生活はかなり長かったけど、いろいろなことをして楽しかったよ」とみんな声を揃えて言う。集中して四年でぱっと卒業するのもよし、留学や企業研修等いろいろな挑戦をして長い学生生活を楽しむのもよし、固定されたスタイルが決まっておらず、思い思いの過ごし方ができるのがオランダの学生生活であると思う。

しかしながら一九九六年以降、オランダ政府からの学生に対する奨学金の制度が改定され、奨学金は大学入学時から数えて四年半までの期間しか支給されなくなったことから、学生がマイ・ペースでゆっくり、じっくり学ぶことは少し難しくなってきたようにも感じる。

長く学生をするとなれば、自分でアルバイトをしながら勉学に励まなくてはならないため、益々学生は必死に勉学に励むようになるということである。政府にとっては奨学金の総額を削減できるのに加えて、学生の本分である勉学に集中させることができ、一石二鳥の政策である。

一九九九年三月、オランダ人の親友エミがめでたく卒業式を迎え、私は仕事を半日休んで、午後から行われた彼女の卒業式に出席した。エミにとっては、結婚式を同年の七月に控えた卒業であり、一九九九年は私にとっても忘れられない年となった。

オランダでは、卒業証書を授与される特別な部屋が学部ごとにあって、卒業する本人は、まるで結婚式のように、家族や仲の良い友達に見守られながら式に臨む。

日本のように、大きな講堂で卒業生一同が式に臨むのではなく、こぢんまりとした部屋に、たったひとりの卒業生が、家族や友人に囲まれながら卒業式に臨むのである。

ライデン大学の場合は、美しい運河沿いのラーペンブルフ通りにある大学本部の建物の中にその部屋がある。伝統的なマントと帽子をかぶった学部長をはじめ、学部の教授陣が一堂に揃って卒業生を迎える。そして、学部の教授から卒業する学生の成績や卒業論文の内容についてコメントがあった後、念願の卒業証書を手にする。

エミは、ライデン大学文学部日本学科を優秀な成績で卒業した。フォン・シーボルトが一八二八年のシーボルト事件を経て、オランダに戻ったとき、ライデンの美しいラーペンブルフ通りに住んで（ライデン滞在：一八三二年―一八四七年）、日本での研究成果を整理し、大著「日本」を刊行した。そんなシーボルトの功績を記念して、一八五五年、ライデン大学内に日本学科が設置されたのだが、今では欧州で最も古く権威ある日本学科のひとつとなっている。だから単位を取るのも非常に難しく、卒業できる学生は非常に少ない。

そのなかでエミは、日本の近代女流作家の作品を卒業論文で扱い、立派に卒業の日を迎えたのである。

ライデンには卒業するときに面白い風習がある。念願の卒業証書を手にしたあと、「ズウェート・カーマーチェ」(Zweetkamertje) に行く。「ズウェート・カーマーチェ」とは文字通り訳すと「汗かきの部屋」という意味である。

ライデン大学を卒業したり、ドクター・コースを修了する際、修士論文、博士論文を提出するが、このとき同時に行われる教授陣からの論文に関する口頭試験があるのもこのライデン大学本部の建物である。ここで自分の試験の順番を待つ部屋がこの「汗かきの部屋」で、卒業や進級を控えた学生が緊張のあまり、思わず汗をかいてしまうことからこの名が付いたのである。昔は口頭試験が相当厳しかったのだと想像する。

そして、見事卒業証書を手にした学生は、この「汗かきの部屋」へ行って、部屋の壁の好きなところに自分のサインを刻むことができる。規定の鉛筆を使うためか、部屋の四方八方どこを見渡しても学生たちのサインで真っ黒になっている。

自分の名前を壁に刻むエミ（ライデン大学本部内にて）。

ライデン大学設立以来、これまで四世紀以上もの間、卒業生のサインが刻まれてきたのだ。そのなかには、ライデン大学を卒業されたウィレム・アレキサンダー国王陛下のサイン（一九九三年卒業）もある。さすがに、王族のサインの上には誰もサインできないように、しっかりとプラスチックで守られている。このほか、第一次、第二次世界大戦で連合国を指揮した近代ヨーロッパ第一の名将であり、また、ノーベル文学賞を受賞（一九五三年）するほどの文才を持ち、文武双方に優れたと言われるチャーチル元イギリス首相のサインもあったりして、サインを見るだけでも、ライデン大学の歴史を感じることができる。因みにチャーチル氏には、学術的な功績が讃えられ、ライデン大学名誉博士号が授与された。

ライデン大学日本学の権威ある教授として知られるボート教授によれば、ライデン大学の名誉博士号はよほどのことでない限り与えられない貴重なものだ。

エミも家族や友達が見守るなか、自分の名前を壁に刻んだ。ほんの数秒で済んでしまう「セレモニー」だが、エミにとって学生生活の想い出が走馬燈のように巡った瞬間だったと思う。家族も「汗かきの部屋」でエミが壁にサインを刻むのを静かに見守った。

ライデン大学創立以来、多くの学生がこの壁に「卒業」という晴れの日の想いを刻んでいった。鉛筆で真っ黒になった「汗かきの部屋」には、大学を卒業していった若き青年らの熱い想いが感じられるようで、その場に居合わせるだけでも汗をかいてしまう。
そんな楽しくも厳かな儀式がライデン大学には今もなお生き続けている。

三十七．歴史の鏡「ラーペンブルフ」

ライデンの街は、ぐるっと運河で囲まれていて、街のなかにも運河が至るところに見られる。運河の静かな水面には白鳥や鴨のつがいが優雅に泳ぎ、運河の脇でのんびりと羽を休める姿も見られて、街全体に潤いを与えている。

ライデンの主要な運河のひとつに、「ラーペンブルフ」(Rapenburg) という通りに沿った運河がある。気持ち曲がっているこの運河は、「ラーペンブルフ」沿いに建つ歴史的な建造物と見事にマッチして実に風情がある。

この「ラーペンブルフ」には、銀行や美容院、企業のオフィスなどもあるが、街の外観を壊さないように、建物の内側だけをうまく改造してあるので、なかの様子を覗き込まない限り、外からは何の建物なのか分からないようになっている。

オランダの建物は基本的に煉瓦でできているため木造建築と違って腐ることもないし、地震は起こらない国なので、先人たちの築いた建物を大切に取っておくことができるのである。しかしそれを抜きにしても、これだけきちんと十七世紀や十八世紀からの建物をうまく残しなが

活気に満ちあふれた青空市場。

ら、快適にかつ機能的に暮らせるように改造するオランダの力は凄いと感心する。
そんな「ラーペンブルフ」の建物には、多くの歴史が刻まれていて、長い歴史の時間を散策しているような気分にさえなる。
「ラーペンブルフ」には、四人の著名な人物が住んだ。近代哲学の父と呼ばれるデカルト、幕末留学生としてオランダにやって来た西周、津田真道、そして長崎出島から戻ったシーボルトである。この四人の住んだ家が、「ラーペンブルフ」の運河を挟んではす向かいにあるのも興味深い。

デカルト（一五九六年―一六五〇年）は、「我おもう、故に我あり」という名言で有名であるが、自由な国オランダに移住し（一六二八年）、各地を転々として隠れ住んだ。そして、一六四〇年の一年をライデンで暮らした。のちにシーボルトの邸宅となる「ラーペンブルフ」沿いの隣の家にデカルトは住んだ。今でもデカルトの住んだ証は、家の壁に掲げられたプレートに刻まれている。

西周、津田真道は、一八六三年、幕末留学生として、榎本武揚等十三名とともにオランダに留学した。

日本近代化の必要性を感じた我が国は、欧米の進んだ技術や科学を学ばせるために十五名の留学生を派遣することを考えた。しかし、幕府は最初からオランダへの派遣を考えていたわけではなかった。時の流れのなかで運命の神様がいたずらをしたのである。

一八六〇年頃の我が国は、桜田門外の変で大老井伊直弼が倒れ、大きな変換期を迎えていた。一八五八年の日米修好通商条約締結後、アメリカがオランダに代わり、我が国にとって重要な関係を持ち始めていたため、まずは海軍を強力にしたいと願った幕府は、公使として日本に滞在していたハリスを通じてアメリカに軍艦を注文すると同時に、造船技術を学ばせるために留学生を派遣しようと考えた。

留学生の派遣については、ハリス自身による我が国への勧誘でもあった。

一方、この頃のアメリカは、南北戦争が勃発し、一八六二年、アメリカに帰国したハリスから、アメリカ国内が不穏であり、軍艦を造る余裕も留学生を受け入れる余裕もないとの知らせが届いた。

国内情勢が不安定であるなら仕方がないということで、幕府が思いついたのは、昔から良好な関係を維持してきたオランダへの軍艦発注と留学生の派遣であった。たまたま、当時オランダの海軍大臣兼外務大臣であったのが、日本海軍の教育にあたったカッテンダイケ大臣であったことが大いに手伝って、最終的にオランダが選ばれたのだった。

オランダへ発注された三隻の軍艦のうち一隻が、戊辰戦争（一八六八年）のときに榎本武揚が乗船し、函館の五稜郭に向かうことになる「開陽丸」である。

そんなわけで、西周、津田真道を含む幕末留学生を乗せた船が約七カ月の航海ののちに到着した地がオランダである（オランダ到着一八六三年）。


西と津田は、ライデンにやってきた。将来優秀な士官になることを期待された二人の青年にとっては、学術的な雰囲気が漂うライデンはぴったりの土地であった。

美しき「ラーペンブルフ」にはライデン大学のフィッセリング教授宅があり、西と津田は、教授宅でフィッセリング教授から直々に約三年間「五科」を熱心に学んだ。

のちに西周は「哲学」という訳語を創ったことを始め、日本近代哲学の父として後世に語り継がれるほどに活躍した。そして、津田真道は、オランダで学んだ法学書の訳本を翻訳刊行したばかりでなく、各種の法典の編纂に貢献し、特に我が国の法曹界においてはその名を轟かせている。

若き日本人青年二人が学んだ教授宅は今もなお、当時の様子のまま残っていて、現在は、ライデン大学の学生寮として多くの若者がここで楽しく学生生活を送っている。
一九九七年の秋、西と津田の故郷である津山、津和野市両市長が訪蘭し、若き二人の学舎であるフィッセリング教授宅の建物の壁に記念プレートが掲げられ、幕末の日本がオランダに学んだ証を残した。

そのフィッセリング教授宅の前にある「ラーペンブルフ」の運河を挟んだはす向かいには、時代が少し遡るが、シーボルトがオランダに帰って、日本コレクションの整理や研究をした邸宅が残っている。シーボルトが日本で集めて持ち帰って整理した「シーボルト・コレクション」は、ライデン国立民族博物館に約五千点、ライデン大学図書館に三百点、ライデン国立自然史博物館に三百点となっており、これらは江戸文化を体系的に研究するための貴重な資料である。

シーボルトは「ラーペンブルフ」の運河沿いの邸宅に一八三二年から一八四七年まで過ごした。ここで書き上げた大著「日本」は、のちに黒船に乗って日本に来ることになる、かの有名なペリーによって、事前に日本を研究するために読まれた。シーボルトは「日本」の他、「日本動物誌」、「日本植物誌」をライデンで刊行したが、この刊行には、のちに西周や津田真道の世話役として抜擢され、ライデン大学日本学部初代教授になったヨハン・ヨーゼフ・ホフマンの協力が大きな助けとなった。

シーボルトは、日本のコレクションを整理し、論文を発表する傍ら、オランダ植民省日本問題担当顧問としても活躍し、アヘン戦争の成り行きを観察して、日本もいずれ欧米諸国によって開国を迫られると時代の流れを読んだ。

平和的な手段でオランダが日本を開国し、他国との関係を構築することこそが日本にとって最良の道であると判断したシーボルトは、一八四四年、オランダの当時の国王ウィレム一世から将軍家慶宛ての開国勧告状の親書の草案を書いた。

心の故郷である日本を想っての判断であった。

しかしながら、これを受け取った幕府は、金の屏風に老中の連判で書かれた親書をもって、時勢を読んだ適切なオランダの勧告を丁重に断ってしまった。


愛する妻お滝や愛娘おいねのことを想いながら、しかし、それを振り切るかのように、研究や仕事に没頭したシーボルトの「ラーペンブルフ」の邸宅は、二〇〇〇年、日蘭交流四百周年事業の一環として、日蘭両政府及び民間が資金を出し合って改修工事を行い、シーボルトの功績を展示するほか、日蘭交流の場としての「シーボルト・ハウス」に生まれ変わったのである。

散策するだけで歩く者の心を穏やかにする「ラーペンブルフ」の運河は、歴史的建造物の姿を水面に映し出すだけでなく、その歴史さえも映し出しているようで私は大好きだ。「ラーペンブルブ」の運河を行けば、その平和で静かな風景のなかに、多くの物語を語ってくれる。そんな「ラーペンブルフ」を私は「歴史の鏡」と名付けたい。

三十八．さまよえるオランダ人

ドイツの作曲家ワーグナーのオペラ「さまよえるオランダ人」は、神の掟に逆らって船出したことから呪われ、幽霊船の船長として大海をさまよう運命に導かれたオランダ人の物語である。

その呪われたオランダ人は七年に一度だけ、海からの上陸の機会を与えられるのだが、そのとき真の愛を惜しみなく捧げる女性と巡り会えることができれば救われるという。

そんなオランダ人にノルウェー船船長の若き娘ゼンダが現れる。ゼンダの渾身の愛によって、最後はめでたく二人揃って昇天する。「救済」をテーマとしたオペラである。

このオペラは、ハイネの著作と中世ドイツの伝説をもとにして、作曲家ワーグナー自身が台本を手掛けた珍しい作品で、一八四三年にドレスデンで初演された。

オペラ「さまよえるオランダ人」を含めて、ワーグナーの作品は難しいというのが、ワーグナーのオペラを何作か鑑賞した私の感想である。かなりオペラや音楽に精通していないと、楽しむべきオペラが苦痛に感じられるほど、物語の展開が遅く、曲自体も難しいように思われる。
私がワーグナーの作品で苦い思いをした経験はこうである。

一九九九年二月、気心の知れた仲間四人で、週末を利用して、オランダの新幹線「ターリス」に乗ってパリに出掛けた。ハーグからパリまでは、わずか三時間半、おしゃべりに夢中になっているとあっという間に車窓からの景色が、平坦なモノトーンの景色から丘陵地帯が広がる、アクセントのある景色に変わる。そして、そうこうしているうちにパリの市内に到着する。せっかくパリまで来たのだからということで、新オペラ座で上演していたワーグナーのオペラ「パルジファル」を鑑賞した。新オペラ座だから、みんな張り切ってお洒落をして夕方からの上演に間に合うように会場に向かい、席に着いた。

最初は目を凝らして役者の動きや舞台装置を見て、そつなく演奏される美しい音楽にも一生懸命耳を傾けていたが、あまりにもシンプルな舞台と遅いストーリー展開に、最後は、「まだ終わらないのか」とうんざりしてしまった。

なぜなら夕方六時半から始まったオペラは延々と夜の十一時まで続いたのである。私の隣に座っていた、いかにもオペラ通の初老の男性は、「新オペラ座でのオペラはいつも斬新で、特に今回の作品は素晴らしい」と大絶賛して、オペラの公演が終わったときには満面の笑みを浮かべて満足そうに大きな拍手を送っていた。

私たちはといえば、「やっと終わった！」という解放感とその喜びで思わず大きな拍手を送ってしまったのだった。

ほろ苦くも楽しかった旅行の想い出話として今でも旅行した仲間が揃うとこの話で盛り上がる。


しかし、オペラ「さまよえるオランダ人」については、邪道であるかもしれないが、別の楽しみ方があって、私は、これまでに何回か楽しく鑑賞してきた。その別の楽しみ方とは、オペラの題名がなぜ「さまよえる」で、しかも「オランダ人」なのかという素朴な疑問から始まった。

オペラ「さまよえるオランダ人」が作られた、十九世紀前半のオランダについて考えてみる。

この頃のオランダは、ナポレオンによるオランダ統治時代が終わり、一八一五年のウィーン会議を経て、「オランダ王国」として新たなスタートを切った。その十五年後の一八三〇年には、ベルギーがオランダから独立。そのきっかけとなったのは、オペラであったというから興味深い。芸術が人々の心に訴えかける影響の大きさはもの凄いと思った。

今日ではベルギーの首都として、ＥＵ本部のお膝元として知られるブラッセルで、オペラ「Huette de Portici」が上演され、テノール歌手が歌いあげるアリア「祖国への神聖なる愛」が劇場内に響きわたったとき、聴衆から割れるような拍手が起こった。

祖国愛に目覚めた聴衆たちはそのまま劇場を出てデモに移り、一般市民等も合流してオランダからの独立への暴動に発展した、というのである。

そして、オランダは、その暴動を武力でもって抑えることなく、無血でベルギーの独立を承認した。

その後のオランダといえば、国内ではアムステルダムとハーレムの間にオランダ初の鉄道が敷かれ（一八三九年）、遅ればせながら産業革命の波がやってきたかのように見えていたのだが、深刻な経済不況の時代を迎えた。

一八二八年、オランダ人法律家トルベケ（Thorbecke）の草案によるオランダ王国初の憲法が制定され、ようやくオランダも「オランダ王国」という新しい国としての第一歩を歩み始めた。そんな時代であった。

こうしてみると、十九世紀前半のオランダは、政治不安定で混沌とした時代、つまり、「さまよえるオランダ」であり、オペラ「さまよえるオランダ人」が書かれた時代と一致する。

だから、オペラ「さまよえるオランダ人」のストーリーが、世界の海を制覇した十七世紀のオランダ黄金時代が終わって、過去の栄光という名の幽霊船に乗ってさまよう十九世紀前半のオランダの状況になぞらえることができて楽しい。

そして、過去の栄光という名の幽霊船からオランダを救う「ゼンダ」の役割を担ったのは、二十世紀初頭の、空の支配へ向けられた果敢なる挑戦かもしれないと私は思うのである。世界最初の航空会社「ＫＬＭオランダ航空」の設立という形で、オランダは、飛行機がぐんぐん高く空に舞い上がっていくように、過去の栄光をさまよう時代に終わりを告げた。そんな現実に基づくストーリーをそのまま感じることができるのが、オペラ「さまよえるオランダ人」なのである。

人間の空に向けたロマンは、遥か昔、古代ギリシア時代から存在している。

古代ギリシアの神話のなかに、ミノス王のラビリンス（迷宮）に捕らえられたダエドロスとその息子イカロスの有名な話がある。

「昔、ギリシアのイカロスは、ロウで固めた鳥の羽……」と始まる歌は、誰もが知っているだろう。私はこの歌を、中学生のとき、音楽の時間に習い、何と悲しい歌なんだろうと思ったことを覚えている。それは、透き通るほど真っ青な美しさと燦々と輝く太陽の光が印象的な美しき地中海に浮かぶクレタ島を舞台とした、紀元前一五〇〇年前後の神話で、悲しくはあるが、気が遠くなるような時の流れを遡る楽しさはまた格別である。

ラビリンスから脱出しようとダエドロスが自分と息子のためにロウを固めて羽を作った。その羽を身につけて親子は脱出をはかるのだが、空を飛ぶ嬉しさの余り、空高く飛びすぎたイカロスは、太陽の熱でロウの羽が溶け、墜落してしまう。父のダエドロスは、幸運にもそのままシチリア島にたどり着いたという、もの悲しくも、空への果てしなきロマンを感じさせる話である。


人は空を飛ぶ鳥のように自由に飛ぶことをずっと夢見てきた。そしてパイオニア精神を持った人たちが、競ってその実現に向けて奮闘した。

そのなかで、一九〇三年十二月、アメリカはノースカロライナ州におけるライト兄弟の初飛行は世界を湧かせた。海を制覇して黄金時代を築き上げた過去をもつオランダでは、海の全盛時代は終わりを告げたことから、今度は世界の空を制覇したいという想いが募った。

一九一九年、オランダ空軍の将校アルバート・プレスマン（Albert Plesman）がアムステルダムで大きな航空ショーを行い、観客を魅了した。このことがきっかけとなってプレスマン氏は、オランダ航空協会が計画した航空会社の社長に就任する。ここに世界最初の航空会社

「ＫＬＭオランダ航空」が誕生した。

ＫＬＭとは、「Koninklijke Luchtvaart Maatschappij」というオランダ語名称の頭文字を取った略称であり、英語では「Royal Dutch Airlines」と表記される。従って、ＫＬＭオランダ航空は、オランダ国内では「ロイヤル」の称号を得た数少ない企業のひとつなのである。

オランダでは、英国とオランダの多国籍企業で石油を扱う「ロイヤル・ダッチ・シェル」や、絵画の分野では非常に有名な「レンブラント」という絵の具等を販売する「ロイヤル・ターレンス」に代表される「ロイヤル」の称号を持つ企業が存在はするものの、その数は少ない。「ロイヤル」の称号には、名前を聞くだけでも高貴な雰囲気が漂うし、実際に「ロイヤル」の称号は、会社が勝手に付けることはできない。

創業百年以上で、従業員百人以上であること、企業が属する分野でオランダ国内で傑出した地位を築いていること等、「ロイヤル」の称号を申請するための厳しい条件をクリアして、最終的に国王陛下に認められて初めて使うことができるのだ。

そんな厳しい条件をクリアしてやっと頂戴できる「ロイヤル」の称号であるが、ＫＬＭオランダ航空は、例外中の例外で、あっという間に「ロイヤル」の称号を、創立直後の一九一九年、当時のウィルヘルミナ女王陛下から頂いてしまったのである。

空に向けられたオランダの飽くことのないパイオニア精神とKLMオランダ航空に込めた、ウィルヘルミナ女王陛下に代表される、ひとつの「国」としての大きな期待がここに感じられて面白い。

また、この頃のKLMオランダ航空の宣伝用ポスターには、船と飛行機をモチーフにしたものが多く見られ、海を制覇した、過去の栄光という名の幽霊船から、やっと脱出して空へ羽ばたくオランダ像が感じられ、「さまよえるオランダの時代よ、さらば！」という声が今にも聞こえてきそうな気がして楽しい。

KLMオランダ航空は、一九二〇年のロンドン―アムステルダム間の初飛行を始め、一九二九年には、オランダ―インドネシア間という世界で最も長い距離の飛行に成功した。KLMオランダ航空の創立七十五周年を記念して発行された「KLM in beeld 75 Jaar vormgeving en promotie」という本によれば、一九三〇年時点には、世界の飛行の六十五パーセントをKLMオランダ航空が占めていたのである。このことからも、世界恐慌で多くの国が苦しんでいるなかで、オランダは、世界の空の支配を見事に達成したと言える。

オランダからの旅行や一時帰国の際には、私は、KLMオランダ航空を使った。抜けるように爽やかな空の青色「スカイ・ブルー」がＫＬＭオランダ航空のトレードマークである。飛行距離を積算して各種サービスが受けられるマイレージシステムは、今や大抵の大手航空会社に存在するが、ＫＬＭオランダ航空の場合、そのシステムは「Flying Dutchman」（「さまよえるオランダ人」）と命名されているのである。

オランダの空の玄関であるスキポール空港で、「Flying Dutchman」のカードを提示するたびに、オペラ「さまよえるオランダ人」のことをつい考えてしまう。

そして同時に、小国でありながら偉大な国オランダの、今後もしたたかに飛躍していくであろう、その将来のことを想うのである。

オランダの不屈なチャレンジ精神は、今もなお健全である。

三十九．オードリー・ヘップバーンと「アンネの日記」

「ローマの休日」、「ティファニーで朝食を」、「麗しのサブリナ」を始め、数多くの素晴らしい作品のなかで、その可憐な姿を今に伝えるオードリー・ヘップバーン。彼女は、この世を去った今もなお、ハリウッドの永遠のヒロインとして存在している。私の大好きな映画女優であり、尊敬するオランダ人のひとりである。

輝かしいほどの脚光を浴びた映画女優オードリー・ヘップバーンには、多感な少女時代、悲惨な戦争経験があり、それは彼女の人生のなかでかなり大きな影響を与えた。

オードリー・ヘップバーンの少女時代をここに紹介したい。

オードリー・ヘップバーンは、一九二九年五月四日、ブラッセルに生まれた。オランダ人の母とアングロ・アイリッシュ人の父との間に生まれた。

母親はオランダ貴族の由緒ある家柄で、当時のオランダ女王であったウィルヘルミナ女王陛下と親交のある家庭で育った。父親は、上流階級の家庭で育ち、ケンブリッジで学び、その後、外交官として現在のインドネシアに赴任した。そんな二人の間に生まれたのが、オードリー・ヘップバーンである。

バリー・パリス氏（Barry Paris）著の「オードリー・ヘップバーン」（永井淳訳）によれば、オードリー・ヘップバーンの少女時代は、両親の絶えることのない口論と、母親の子供に対する厳しい躾のために、自分の殻に閉じこもりがちであり、オードリー・ヘップバーンは、次のように母親のことを回想している。

「私の母はあまり子煩悩ではなかった。素晴らしい母親だったけど、規律と道徳にきびしいヴィクトリア朝の躾を受けていた。子どもに対してもきびしかった。心のうちに溢れるほどの愛情を持っていたけれど、いつもそれを表に出すとは限らなかった。私はやさしく抱きしめてくれる人を捜して家じゅうを歩きまわり、叔母や乳母にその人を発見した」（「オードリー・ヘップバーン」（上）（永井淳訳 P．38））

両親の口論のたびに自分の殻に閉じこもってしまう娘を立ち直らせるために、母親は、当時五歳の愛娘オードリーをイギリスの寄宿学校の送り込んだ。ここでオードリー・ヘップバーンは、イギリスの生活に順応していくなかで、見事なブリティッシュ・イングリッシュを身につけていった。

両親の口論は絶えることなく、オードリー・ヘップバーンが六歳のときに両親は離婚。この原因としてはいろいろな説があるが、そのなかに、当時の世界情勢と深く関わる父親の過激な思想があったと言われている。

オードリー・ヘップバーンの父親は、過激な反ユダヤ主義分派に属し、母方のファン・ヘームストラ家の財産の一部をファシズム運動に流用したと言われる。その事実がウィルヘルミナ女王陛下の知るところとなり、女王陛下自身がファン・ヘームストラ家に離婚の圧力をかけたという説さえある。


一九三九年、オードリー・ヘップバーンが十歳のとき、イギリスがドイツに宣戦布告。オランダは未だ中立国として戦争とは無関係な安全な場所と思われたことから、オードリーは、母親の親戚が暮らすオランダの田舎街アーネムに連れ戻された。

アーネムは、豊かな森が広がり、中世からの古城が点在する美しく静かなオランダの田舎で、今ではヴィンセント・ファン・ゴッホの作品があることで有名なクローラー・ミューラー美術館があることでもよく知られている。

戦争とは無関係に思われたアーネムであったが、皮肉なことに、第二次世界大戦のなかでも史上に残る、かの有名な空挺侵攻作戦の舞台となってしまうのである。この空挺侵攻作戦とは、イギリスのモントゴメリー元帥による作戦計画で、パラシュートにより空挺部隊を敵戦線後方に降下させ、マース川、ライン川にかかる橋を奪取し、地上部隊と合流して戦争を終わらせるというもので、その激戦の様子は、映画「遠すぎた橋」に見ることができる。

オードリー・ヘップバーンも、当時、レジスタンスに関わった多くのオランダ人のようにドイツ占領下のオランダで、果敢にレジスタンス組織へのメッセンジャーとして役割を果たしたという伝説が残っている。

バリー・パリス著「オードリー・ヘップバーン」（永井淳訳）によれば、オードリー・ヘップバーンの息子ショーンは、「母が十一歳のときにレジスタンス組織へのメッセージを靴のなかにかくして運んだ話をしてくれた」ことを覚えている。

そして、空挺侵攻作戦が開始され、アーネムの森で立ち往生している多くのイギリス兵に、幼少時代にイギリスで身につけた見事なブリティッシュ・イングリッシュでメッセージを伝えたとされている。

オードリー・ペップバーンは、世界恐慌の時代にこの世に生まれ、ドイツ軍によるオランダ占領下を生きたひとりの少女であった。そしてオードリー・ヘップバーンはのちに、国籍は違うものの、同じ時代に生き、同じ戦争の苦しみを味わったひとりの少女に、自分との一体感を強く抱いている。

その少女とは、「アンネの日記」で世にその名を知られることになったアンネ・フランクである。オードリー・ヘップバーンは次のように語った。

「(アンネ・フランクと私は)同じ年に生まれ、同じ国に住み、同じ戦争を体験した。ただ、彼女は家のなかに閉じこもり、私は外にいた点だけが異なっていた。(彼女の日記を読むことは)私自身の体験を彼女の観点から読むことに似ている。私の胸はそれを読むことによって引き裂かれた。二つの部屋から一歩も外に出られず、日記を書くことしか自分を表現する手段を持たなかった思春期の少女。彼女が季節のうつろいを知る方法は、屋根裏の窓から一本の木をのぞき見ることだった。

住んでいたところこそ同じオランダの違う町だったが、私が経験した全ての出来事が彼女の手で信じられないほど正確に描かれていた—外の世界で起きていたことだけでなく、大人になりかかっていた若い娘の心のなかの動きまで。彼女は閉所恐怖症だったが、自然への愛、人間性の認識と、生命への愛—深い愛—によってそれを乗り越えている」(バリー・パリス著

「オードリー・ヘップバーン」（上）（永井淳訳）P．68―69）

オードリー・ヘップバーンは、どんなに「アンネ・フランク」の役を頼まれても、大きな圧力をかけられても、映画「アンネの日記」のなかのアンネ役を引き受けることは決してなかった。

しかし晩年、彼女は「アンネの日記」の朗読という形で、客観的にアンネの心境を世界に伝える試みを行っている。それは、戦争を知らない私には想像すらできないことだが、戦争を経験したオードリー・ヘップバーンにとっては、辛くて悲惨な戦争の想い出を鮮明に再現させる行為であり、「朗読」といえども、想像を絶するほどの大きな勇気の要る決断であったのではないかと私は感じる。

その決断に踏み切らせたのは、オードリー・ヘップバーンの子どもに対する惜しみない愛情であり、そのために世界の平和を心から願ったオードリー・ヘップバーンの溢れんばかりの、世界の子どもたちを想う心であったのではないかと私は感じるのである。その「朗読」の役を引き受けるに当たってオードリー・ヘップバーンは次のように語っている。

「ようやくオランダの解放が訪れたとき、アンネ・フランクは既に遅すぎましたが、私はバレエのレッスンを受けるためにアムステルダムへ行って、一軒の家に母と一緒に住みました。そのとき同居人に女性の作家がいて、ある日彼女が一冊の本の校正刷りを差し出していったのです。『この本を読んでごらんなさい』。それは一九四七年にオランダ語で出版された『アンネ・フランクの日記』という本でした。私はそれを読んで泣いてしまいました。（のちに）その映画化に当たってアンネの役をやるように言われたけれども、私にはとてもできませんでした。とめどなく涙が溢れて、ほとんど反狂乱状態でした。

でも今は、この少女をたたえるよい機会だと思うし、アンネ・フランクも自分の書いたものが苦しんでいる多くの子供たちに慰めを与え、ユニセフを助ける役に立つのなら、きっと喜んでくれるでしょう」（バリー・パリス著「オードリー・ヘップバーン」（下）（永井淳訳）P.250―251）

オードリー・ヘップバーンはその生涯の最後の五年間を、国連児童基金特別大使としてユニセフの慈善活動に捧げた。その活動のなかに、「アンネ・フランクの日記」からの抜粋を音楽に合わせて朗読するというコンサート形式の活動があったのである。これは「アンネ・フランクの日記より」と銘打たれ、一九九〇年、ニューヨーク、フィラデルフィア、マイアミ等のアメリカの都市で公演され大成功を収めたものである。

オランダがドイツ軍による占領から解放された一九四五年五月四日は、偶然にもオードリー・ヘップバーンの十六歳の誕生日であった。

五年間の精神的にも肉体的にもぎりぎりの戦争生活から解放され、自由を勝ち得たこの日から、オードリー・ヘップバーンは、かごから放たれた鳥のように、着実にハリウッドの大スターとして羽ばたいていくことになる。

四十．オードリー・ヘップバーンのなかのオランダ人

チューリップの国オランダには、「オードリー・ヘップバーン・チューリップ」と命名されたチューリップがある。それは、雪のように白くて清楚な、それでいて可憐なチューリップである。それは、オードリー・ヘップバーンそのものを象徴していて、そこには、オードリー・ヘップバーンを誇りに思うオランダ人の想いが伝わってくる。

由緒ある貴族の名門の家庭に育ったオランダ人の母を持っていたからか、オードリー・ヘップバーンの魅力のなかには、オランダ人的要素が多分に含まれている。バリー・パリス氏が手掛けた伝記「オードリー・ヘップバーン」のなかにも、オードリー・ヘップバーンや彼女の母エラ・ファン・ヘームスラの言動から、オランダを感じさせる箇所が多くあり、実に面白い。

オードリー・ヘップバーンが、最初にスクリーンに登場した映画は、「Nederlands in zeven lessen」（「七日間のオランダ語」）である。それは、英国人カメラマンがわずか一週間でオラ

ンダ語を学び、オランダの旅行撮影記録映画を撮影するというストーリーで、一九四八年に上映された。

オードリー・ヘップバーンはこの映画のなかで、オランダ航空KLMのスチュワーデスの役を演じたのだが、彼女がスクリーンのなかで初めて話した言葉は、実はオランダ語なのだ。世界の大スターとなるオードリー・ヘップバーンの出発点は、オランダにあるといってもいい。

オードリー・ヘップバーンは、映画女優になりたかったわけではなかった。彼女は幼い頃からバレリーナになりたいという夢があり、バレエのレッスンに熱心であった。


ちょっとここでオランダのバレエについて紹介したい。

オランダの政治都市として知られるハーグは、今やモダン・バレエのメッカとしても世界的に知られている。仕事で知り合ったバレエ・ジャーナリストに「クラッシック・バレエとモダン・バレエって、何が違うの？」とある日、自分の不勉強を晒して、思い切って聞いてみたことがあった。彼女の答えはとても分かりやすかった。

「白鳥の湖やくるみ割り人形、ジゼルなどに代表されるクラシック・バレエは、例えばバレリーナのシューズを見ると、先のほうが堅くなっているでしょう？　クラッシック・バレエでは、必ずあの特別なシューズを履くことになっているの。だから、あのシューズゆえに美しい動きもでき、また、逆にあのシューズゆえに、動きが制限されてしまうの。それに対して、モダン・バレエでは、シューズすら履かず、裸足で自由に動くの。だから、クラッシックに比べて、身体の動きが自由だし、『こうしなければいけない』というきまりはそれほどないの」

この話を聞いたとき、伝統として受け継がれてきたあらゆる細かいバレエの規則や理念に捕らわれることなく、ある意味で自由に自らを表現していく「モダン・バレエ」が、オランダで盛んであることが、私がオランダに住んで感じてきたオランダの自由な空気と結びついて面白いと思った。オランダは戦後間もない頃、つまり花の都パリで女性が舞台に立つことが許される以前から、女性バレリーナが舞台に立って活躍できた「バレエ先進国」である。

オードリー・ヘップバーンは、オランダ国立バレエ団の前身を創ったリトアニア系ユダヤ人ソニア・ガスケルのもとでバレエの修行を積むため、戦後母とともにアムステルダムに移り住んだ。

名門貴族の出身の母を持つといえども、それは、決して豊かな財力を意味しなかったし、ほかのオランダ人がそうであったように、オードリー・ヘップバーンも苦しい生活を強いられた。そんななかで、生きるためにお金を稼がなければならなかった。たまたま転がり込んできた話が映画出演の話だったのである。

オードリー・ヘップバーンのなかのオランダ人は、彼女の様々な言動から窺うことができる。まず典型的だと思うのは、オードリー・ヘップバーンは、ハリウッドの大スターとして世界の注目を集めるようになっても、宝石を決して身につけなかったことである。宝石のほかにも帽子や毛皮も身につけず、シンプルであることが彼女のポリシーだった。そこには「奢侈」なものと無縁で、カルヴィニズムの影響のなかで清貧に生きることに大きな価値を置くオランダの顔が見え隠れするのである。

現にオードリー・ヘップバーンは、カルヴァン派が属するプロテスタントの敬虔な信者であった。

そして映画「パリの恋人」（一九五七年）以降、オードリー・ヘップバーンが出演する映画の衣装は、ひとつのブランドとして不動の地位を築き上げたジヴァンシーが手掛けることとなるが、オードリー・ヘップバーンは「彼がデザインした服を着るときだけ、私は自分自身になれる」（「オードリー・ヘップバーン」（上）P．272）と述べているほど、ジヴァンシーのデザインする服を愛用した。そして、ジヴァンシーは、女性の生き方や行動力を「香り」で表現し、「L'INTERDIT」（ランテルディー）という、ほんのり甘い、神秘的な香水を生涯の最愛の友、オードリー・ヘップバーンに捧げた。
ジヴァンシーとのそんな美しい友情の絆をもつオードリー・ヘップバーンが、映画界から去って数年後、彼女の友人で、ローマの貴族であるローリン・ロヴァテッリ伯爵夫人と交わした会話に、オランダ人的要素が多分に垣間見ることができて私は思わず微笑んでしまった。

「『ジヴァンシーは高すぎるわ、ローマでいいドレス・メーカーを知らないかしら?』『ジヴァンシーはドレスをただでくれないの?』と伯爵夫人は驚いて問い返した。『くれないわ。私はただではもらわない主義なの。だって彼は私の映画を見るときにお金を払うでしょう?』」

(「オードリー・ヘップバーン」(下)P.137)

「目的がはっきりしない贈り物はもらわない」のがオランダ社会の慣例である。ちょっとした贈り物が社会の潤滑油として大きな役割を担っていて、そんなちょっとした贈り物の好きな日本人にしてみれば、その行為は奇妙にさえ映る。「ただではもらわない」オードリー・ヘップバーンの生き方には、現実的で実直なオランダ人像が重なる。

また、オランダはその土地が平坦であるように、社会的な地位や身分の差を越えて、誰に対して同じ目線でものを言うことのできる、ある意味平等な側面を持つ国である。そんな平等意識というか、肩の力を抜いたリラックスしたオランダ人的要素が、オードリー・ヘップバーンにも感じられる。

「ジジ」のアメリカ公演中、バリー・パリス氏によれば、オードリー・ヘップバーンは、「あらゆる人間の目をくらませ、心を溶かした。彼女はディーン・マーティン、ジェリー・ルイスのコンビとも、アメリカ訪問中のオランダ女王ユリアナとも、まったく同じようにのびのびと会話を交わすことができた」（「オードリー・ヘップバーン」（上）P．164）

そして、アメリカはジョージア州アトランタでのあるセレモニーで、アメリカの大統領であったジミー・カーターが、オードリー・ヘップバーンに賞を渡したときのことである。「『私が若かったとき、誰になりたかったか分かりますか？　トマス・ジェファソン？　アンドルー・ジャクソン？　違います。私がなりたかったのはハンフリー・ボガードかケーリー・グラントかフレッド・アステアでした。オードリー・ヘップバーンにキスされる彼らが羨ましくてならなかったのです』。するとオードリーは、『お安いご用ですわ』と答えて、カーターにキスをした。その後彼らはユニセフのためにしばしば一緒に仕事をするようになった」（「オードリー・ヘップバーン」（下）P．312）

オードリー・ヘップバーンは身につけるものだけでなく、何よりも彼女の生き方そのものもシンプルで、首尾一貫していた。そこにオランダ的要素を感じるだけでなく、同じ女性として、その生き方に私は大きな感動を覚える。

オードリー・ヘップバーンは、その映画を観る世界中の人々を一瞬のうちに虜にした大女優でありながら、映画界を「惜しみなく」というより「ごく自然に」去った希有の女性である。築き上げた名声や人気を固守し続けたいという願望は、彼女には全くなかった。オードリー・ヘップバーンは、世界の大スターである前に、家族や友人の幸せを心から願い、心から家族を大切にしたひとりの女性であった。

家族を大切にする心は、オランダ的というよりも、個人的な人格によるところが大きいと思うが、オランダ人は、とにかく家族を大切に、個人の生活を何よりも優先する。この点でも私は、オランダ人の母の血をひくオードリー・ヘップバーンを少なからず感じる。

私が勤務した在オランダ日本国大使館には二十五人の現地スタッフがいる。大変忙しい毎日であるが、どんなに仕事の書類が机上にのっていても、時間内に驚くほど着実に仕事をこなして、時間になればさっさとそれを片づけ、毎日午後五時半には颯爽と家族の待つ家に帰っていく。そんなオランダ人スタッフについて、私はその能力の高さに脱帽するとともに、家族を大切にするという理念がオランダ社会の枠組みのなかに、「ごく自然に」そして「シンプルに」、その根幹としてあることに新鮮な驚きを覚えたものである。

肩の力を抜いて考えれば、それは人間らしい自然な生活だと思うし、そうありたいと私自身も願うのだが、日本人の私には、それは到底「自然に」できることではなく、そうするように「努力」することから始めなければならない。

そんな意味からも私は、オードリー・ヘップバーンのなかにオランダ人を感じるし、また同じ女性として、何の惜しみもなく笑顔でハリウッドの大舞台から降り、愛する伴侶や家族のために幸せを築こうとしたオードリー・ヘップバーンの生き方には大きな憧れを感じる。

オードリー・ヘップバーンは、映画のなかで演じることは自分にとってそれほど重要なことではないと語っている。演じることは「それほど現実感がないんです。家庭こそ最後の拠り所─わたしたちに最後に残されたものなのです」とオードリー・ヘップバーンは語った（「オードリー・ヘップバーン」（下）P．154）

確かに、映画のセットのなかで役を演じることよりも、自分の生きる現実のなかで身近な人々へ心からの愛を与え、また与えられることのほうがずっと地に足がついていて、現実味があるが、一体どれだけの人がオードリー・ヘップバーンのように、「舞い上がることなく、ごく自然に」自分にとって大切なものをきちんと見極められるだろうか。決して多くはないと私は思う。

オードリー・ヘップバーンは、生涯三人の伴侶と二人の息子を持ち、溢れんばかりの愛情を注ぎ、彼らの幸せを心から願った。そして、六歳のときに別れた父親については、オードリー・ヘップバーンが三十歳のとき、どうしても父親に会いたくてアイルランドの首都ダブリンへ行って、再会を果たした。自分を捨てた父親を微塵も憎んでいなかった。父親の反ユダヤ主義の過激な思想を軽蔑などしていなかった。

子どもにとっての親、そして親にとっての子どもは、いつまでたっても、どんなことがあっても無条件に愛すべき関係にあるのである。

再会を果たしてから、父親が九十歳で亡くなるまでの約二十年間、オードリー・ヘップバーンは父親に小切手を送ったり、手紙を書いたりして、それまでの空白を埋めるかのように心からの愛情を注いだ。

オードリー・ヘップバーンがこの世を去って五年の歳月が過ぎた一九九八年、ロンドンにある世界的に有名なオークション「クリスティーズ」で、オードリー・ヘップバーンが父親に宛てた手紙のいくつかが競売にかけられ、世間の目に触れることとなった。

オードリー・ヘップバーンは、三人の伴侶と人生を送った。二度の離婚を経験したが、離婚に至るまでの心の葛藤や張り裂けそうな心の内を決して伝えることなく、我が子の成長ぶりや幸せな日常の一こまを明るく伝えている。

父に宛てた手紙の括りには、「MP」の文字が多く見られるが、これは「MONKEY PUZZLE」の頭文字を取ったものである。これは父が名付けたオードリー・ヘップバーンの愛称だ。

一九九八年十二月十二日付のオランダの朝刊紙であるテレフラーフ紙によれば、この愛称は、幼きオードリー・ヘップバーンは、父親にとって、ときどき理解に苦しむ「小さなお猿さん」のような存在であったことのよるものである。

オードリー・ヘップバーンは、手紙のなかで明るい話題を提供することのほか、最後に「MP」という文字を書くことにより、幼き自分に戻って親子の、ごく普通の関係を取り戻そうとしたのではないかと私は思うのである。

オードリー・ヘップバーンは、晩年、「自分自身を一言で表すとしたらどんな言葉を選ぶか」という質問に対して、微笑んで「ラッキー」という言葉を選んだ（「オードリー・ヘップバーン」（下）P．384）

オードリー・ヘップバーンの伝記を読むと、オードリー・ヘップバーンは確かに「ラッキー」な人生を歩んだと私は思うが、その「ラッキー」な人生を導いたのは、彼女自身の人生に対する前向きな姿勢と、そして、周りのものへの深い愛情だと思うのだ。

そんなオードリー・ヘップバーンを私は心から尊敬するし、また彼女の生き方を少しでも見習いたいと思う。

四十一・果敢なるレジスタンス

アムステルダムの街の紋章は、斜め十字を上から三つ並べたシンプルな紋章である。アムステルダムの街を歩くと、至る所にその紋章が眼に入る。この三つの斜め十字には「英雄的な」(heldhaftig)、「断固とした」(vastberaden)、「情け深い」(barmhartig) という意味が込められており、ナチス・ドイツ占領時代（一九四〇年―一九四五年）、果敢にレジスタンス（抵抗運動）に参加したアムステルダム市民の勇気ある行動を讃えて、一九四七年、当時のユリアナ女王陛下がアムステルダム市民に贈られた言葉である。

貿易国家オランダが国として存続し続けるために、いかに自由と平和が重要であるかを早くから認識してきたオランダは、歴史的に見ても、争いごとを極力避け、自由の空気を愛してきた。

アムステルダムはまさにその心意気を感じる街であり、例えば十九世紀のフランスの詩人シャルル・ボードレール（一八二一年―一八六七年）は、「悪の華」のなかの一編「旅への誘い」において、「素晴らしい国、人呼んで言う『桃源郷』、古くからの恋人とともに訪れたいものと私の夢みる国がある」と述べ、自由と夢の街アムステルダムに大きな憧れを抱いた。

そんな平和と自由を愛する国オランダは、第一次世界大戦では世界の多くの国が戦争に巻き込まれていくなか、見事に中立を保った。

引き続く第二次世界大戦においても、オランダは中立の立場を表明したが、その中立はドイツ軍の強引なオランダ侵攻により固持することはできなかった。

一九四〇年五月、ドイツ軍はオランダに奇襲攻撃をかけた。まず、ドイツ軍は貨物取扱量世界第一位を誇る港をもつことでも有名なロッテルダムを徹底的に爆撃した。

この凄まじいほどに残酷な破壊を目の当たりにし、他の都市への被害を恐れたオランダは、四日後には降伏し、オランダ全土がナチス・ドイツ軍によって占領されたのである。しかしながら、フランスやベルギーがナチス・ドイツ軍の傀儡と化したようには、オランダでは傀儡政権は成り立たなかった。オランダ国民は断固としてそれに抵抗したのである。国が占領されても、オランダ国民の心を占領させることは決して許さなかった。

当時のオランダ女王ウィルヘルミナ女王陛下は、政府の閣僚とともにイギリスへ亡命し、BBC放送を借りて、オランダ政府の自由放送局「ラジオ・オラニエ」を創設した。そして「ラジオ・オラニエ」からオランダ国民にあらゆる有益な情報を流し、ドイツ軍に抵抗して戦うオランダ国民に励ましの言葉を送り続けた。

オランダに残った国民もそれに応えて戦った。それは「英雄的」（heldhaftig）な勇気ある行動であり、オランダ国民と王室が一体となって、祖国オランダを想った出来事だった。

特にその果敢な行動は、オランダに避難してきたユダヤ人に対する「ユダヤ人狩り」に際して顕著に現れた。

一九四一年二月、アムステルダム中央駅からユダヤ人男性四百二十三名を乗せてオーストリアのリンツ近くのマウトハウゼン収容所へ向かう家畜用列車の前にオランダ国鉄の労働者たちが立ちふさがり抵抗したのだ。

また、ドイツ軍の眼を逃れて集会を開き、約三十万人のオランダ人が一斉にストライキを行ってナチス・ドイツに抵抗した。

そして、五年に亘るナチス・ドイツ軍占領期間には、我が身を省みることなく、オランダに潜伏するユダヤ人を必死に助けたオランダ人の姿があった。

二十五カ月もの長い間、アムステルダムで隠れ家生活を強いられたアンネ・フランクの家族も、オランダ人の惜しみない援助によってその生活を維持した人々の一例である。アンネ・フランクは日記のなかでこう書いている。

「……『自由なるオランダ』(Vrij Nederland)のような地下活動組織はたくさんあり、パスポートの偽造、潜伏者への資金援助、潜伏場所の提供、潜伏しているクリスチャン系の若者たちに仕事を提供するなどの活動を行っています。いかにたくさんの人たちが徳をもって、無心に命をかけて他人を救おうとしているか、驚くべきことです。その最も良い例が、今まで私たちを引っ張ってきてくれた私たちの援助者です。願わくば最後まで私たちを無事に守って欲しいと思います。でなければ彼らも発見された全ての潜伏者と同じ運命をたどらねばならなくなってしまうのです。私たちは確かに面倒をかけているのに、彼らの誰からも私たちが面倒だと愚痴をこぼすのを一度も聞いたことがありません。毎日上へ上がってきて、男性には仕事や政治のことを、女性には食料や戦時中の苦しさについて、子供たちには本や新聞のことを教えてくれます。彼らはできる限り明るい顔をして、誕生日やお祝い事には花束やプレゼントを持ってきてくれるのです。私たちのために彼らはいつでも、あらゆることについて助けてくれるのです」＊(一九四四年一月二十八日)

一九二九年、世界恐慌が始まる年にアンネ・フランクはドイツのフランクフルト・アム・マインで生まれ、ナチスが台頭していった時代に育った。そして、ヒトラーが政権を握った一九三四年、アムステルダムに移住し、アンネが十三歳のときにアムステルダムのプリンセン運河沿いの隠れ家に移り住んだ。

この隠れ家は今、「アンネ・フランク・ハウス　ものがたりのあるミュージアム」として一般公開されている。当時の暮らしぶりが分かる形で、ナチス・ドイツを中心にユダヤ人迫害の歴史が隠れ家の空間いっぱいに訪れる人の心に大きく訴えかける。

オランダに来てまだ間もない頃、爽やかなある晴れた日、私はひとりでこの隠れ家を訪れたことを今でも鮮明に覚えている。世界中から来た観光客とともに、プリンセン運河沿いにできた長い行列に並んで博物館のなかに入るのを待った。

博物館のなかでは、順路に従って、隠れ家の秘密の扉となっていた「本棚の扉」をくぐって、フランク一家が暮らした空間を確かめるように歩いた。狭い隠れ家でひっそりと暮らさねばならなかった、ひとりの少女アンネの気持ちを考えながら。

そして、その空間に展示されたアンネの日記の抜粋と説明を食い入るように一言一句を丁寧に読んで、ユダヤ人迫害の歴史について考えた。

そこには私には想像も及ばないほどの冷酷な事実が淡々と書かれてあり、大きなショックを受けたこと、そして、博物館から外に出たときの景色が驚くほどに平和で穏やかなものだと感じたことを覚えている。

自分がこうして生きている環境がいかに平和で幸せであるのかを否応なく実感させられた瞬間であった。

フランク一家は、最後にはゲシュタポに連行され、アンネはオランダ東部にあるヴェステルボルグの収容所からアウシュビッツへ送られた。そして二カ月間アウシュビッツのビルケナウで過酷な生活を強いられ、最期はドイツのハンブルクから南西約百キロのところにあるベルゲン・ベンゼン収容所で息絶えた。

十五歳という、あまりにも短い人生だった。


オランダでクロッカスの花が咲き始めた一九九六年の春先、私は思い立ってポーランドはアウシュビッツへ列車に乗ってひとりで旅をした。季節はずれの雪が降るなか、ポーランドの古都クラクフから、バスに揺られてアウシュビッツへ向かった。

雪の降るなか、何もない、寂しいくらいの、広々とした平原をバスは静かに走った。

車窓から見える寒々とした景色を眺めながら、座席のない列車に詰め込まれ、何時間も揺られてアウシュビッツへ移送されたユダヤ人のことを想った。

アウシュビッツ収容所への入り口。「ARBEIT MACHT FREI」の「B」が上下逆さで掲げられている。

アウシュビッツ収容所に到着して、真っ先に眼に入るのが、「ARBEIT MACHT FREI」（労働によって自由を）とドイツ語で書かれた門である。「ARBEIT」の「B」が上下逆さになっていることに気づくが、これは、収容所で働かされたユダヤ人の、ナチス・ドイツに対する精一杯の抵抗でもあった。この収容所の門をくぐった以上、労働によって自由など得ることはできないと諦めきったユダヤ人労働者の皮肉と悲しみと、せめてもの抵抗がその文字に表れていると私は感じた。

ポーランド人の専門ガイドに収容所のなかを案内されながら、ガス室、収容施設、射撃の弾の跡が今も生々しく残る暗い路地を見て歩いた。寒さとその悲惨さと恐ろしさで身震いがした。

人はここまで残酷になれるのか、ともの凄いショックを受けた。髪の山、靴の山、銀歯の山はそれぞれ毛布になり、ゴムや革になり、金属になり、少しの無駄なく、実に見事に「再利用」されたのである。

そのそれぞれの山は、今もなお、アウシュビッツ収容所内において忘れてはならない歴史として、そして二度とは繰り返してならない人類の教訓として展示されている。言葉はなくとも、収容所で目にするもの全てが視覚に生々しく訴えかける。

そして、山のように積まれた鞄のなかで、あるひとつのアタッシュ・ケースに書かれた「OTTO FRANK」の文字が私の視界に飛び込んできた。アンネ・フランクの父、オットー・フランクのものである。彼もアウシュビッツに送られたユダヤ人のひとりだったのだ。

その「OTTO FRANK」の文字に含まれる意味を理解するのに時間はかからなかったが、はるばるオランダからやってきた私にとって、偶然見つけたアタッシュ・ケースの文字は私のなかでアムステルダムとアウシュビッツを確実に繋げた。

オットーは、一九四五年、ソ連軍に救出され、娘アンネがプリンセン運河の隠れ家で書いた日記のなかから重要と思われる箇所をタイプで打ち始め、「アンネの日記」がこの世に生まれる素地を作った。
彼はフランク一家で唯一戦争を生き抜いた人であり、アンネの「将来作家になりたい」という夢を娘に代わって実現させた父親でもある。

アンネの短い人生のなかで、彼女が残した平和への想いは後世ずっと語り継がれてくことと思うし、「ものがたりのあるミュージアム」から始まり、アウシュビッツへと私の足を運ばせた民族差別問題を考える旅は今もなお、私のなかで続いている。

オランダの果敢なるレジスタンスの時代を想うとき、アンネ・フランク・ハウスの近くに世界初の同性愛人権擁護団体である「オランダ同性愛差別撤廃連盟」（一九四六年設立）の本部があることに偶然ならざるものを感じる。
オランダは、今も昔も「差別撤廃」に対する意識や「人権」に関する認識の強い国であり、その意味で、今もなお、果敢なるレジスタンスを形を変えて続けている国、それがオランダであると私は思うのである。

＊HET ACHTERHUIS Dagboekbrieven 12 juni 1942- 1 augustus 1944, p.162

四十二．戦争の話（その一）

一九九九年の夏の終わり、駐オランダ日本国大使はファン・デル・レイデン元福祉・保健・文化担当国務大臣を大使公邸に招待し、私は、その食事の席に同席した。

ファン・デル・レイデン氏は、オランダ最大の民放局フェロニカ連盟の会長であり、オランダＩＯＣ委員としても活躍した。政界、経済界と強い繋がりをもつ同氏は、オランダ社会の牽引者のひとりである。

彼は、食事の席で自分の戦争体験を次のように話した。そして私は彼の話のなかで、未来志向的な考え方に感銘を受けた。

「私は終戦の二日前、二十時二分に外にいたばかりにドイツ軍の射撃に遭った。ドイツ軍がオランダを占領していた当時は、二十時以降は外に出ることは禁止されていたのだが、たった二分遅れただけで射撃された。幸いにも弾は当たらなかったが、この出来事は自分の幼い頃の鮮明な記憶だ。オランダの有名な映画「オラニエの兵隊」（「SOLDAAT VAN ORANJE」）のセリフに「If everyone is in the war, nobody is in the war」（誰もが戦争のなかにいれば、誰も戦争のなかにいない）があるが、まさにその通りで、戦争とは異常な状態を表していて、その状態で起こったことを咎めることはできない。今日のドイツは、昔のドイツと違う。それと同様に、今日の日本は、第二次世界大戦の頃の日本と違う。今を担う世代は戦争を経験した我々ではなく、貴女のような若い世代。戦争問題は我々世代の問題であって、自分としては、この問題を次世代に持ち越してはならない、と思っている」

このとき、彼の目は明らかに私のほうを向いていて、私自身も自分に語られているという実感がして少し怖かった。それは、師匠から初めて教わる秘伝のような大切なメッセージであり、その意味を完全に理解するために切磋琢磨しなければならない、そんな思いがした。

日本とオランダの関係は四百年に亘る長くてユニークな関係だ。この長い歴史のなかで、一九四〇年から一九四三年まで、旧蘭領インドネシアにおいて日本軍の捕虜となったオランダ人がいた。オランダ外務省によれば、軍人捕虜が約四万人で、そのうち死亡者約一万人、民間抑留者は約九万人で死亡者は一万二千人。

両国の戦時賠償問題は、両国政府ともサンフランシスコ平和条約（一九五一年）と日蘭議定書（一九五六年）により、法的に解決されているとの立場である。

しかし、これで個人の感情の問題が解決されるわけではない。一九九〇年にはオランダ国内で財団法人「対日道義的債務基金」が設立され、世界七十五カ国に全体で約三万五千人の会員を持ち、日本政府に対して一人当たり約二万ドルの賠償支払いを求めて活動した。

一九九四年十二月以降、対日道義的債務基金は、毎月一回、大使館の前でデモを行ってきた。通常大使館の昼休みは十二時半からであるが、デモの日には三十分繰り上がり十二時からとなる。そして、大使館の門から外に出るときには、七十歳から八十歳くらいのおじいさんやおばあさんたちが、雨の日も雪の日もパネルを掲げてデモをするなかを横切らねばならない。

天気の悪い日は、身体にも堪えるだろうに、と気の毒で仕方がない。重々しい空気が漂っていて、毎月、デモの日が来るたびにデモをする彼らのことを考えさせられた。

戦争を知らない私には想像もつかないことだが、旧蘭領インドネシアで不当な苦難を被ったオランダ人のことを想った。

旧蘭領インドネシアにいた多くのオランダ人は、大農場の経営者や植民地を管轄する役人だった。戦争が終わり、彼らがインドネシアから本国へ引き揚げたとき、本国オランダは、ドイツ軍占領後の荒廃した国土を復旧することに必死で、インドネシアから戻ってきた同胞のオランダ人には大変冷たかった。
「お前たちは、確かに戦争で苦しんだかもしれないが、その前は、散々、植民地インドネシアで金儲けをして楽しんだだろ？　オランダ本土では、ドイツ軍に占領されて皆苦しんだ。今更、インドネシアから戻ってきて、何を求める？」と。
彼らはオランダ政府から補償を得ることなく、自力で頑張った。インドネシアとオランダ本土での二重の苦しみを持つのが、旧蘭領インドネシアでのオランダ人戦争被害者なのだ。

大使館では、一九九四年からデモの代表者数名を大使室に招き、大使が直々に戦争被害者の話に耳を傾けた。私自身は同席したことはないが、上司から戦争被害者の「生の声」をよく聞いた。

あるオランダ人の女性は日本軍収容所にいた頃、目の前で自分の父親の首をはねられたという辛くて生々しい想い出について語ったそうだ。またあるオランダ人は、戦後初めて日本人と握手をしたと同僚に向かって涙を浮かべて話したそうだ。

オランダでは、村山内閣時代に打ち出された「平和友好交流計画」に基づいて、戦争被害者に新しい日本を見てもらおうと、「日蘭架け橋計画」のなかで、一九九五年より二〇〇五年までに四百二十五名を招待した。訪日を経て、苦難を強いられた戦時中の否定的な日本人像が、柔和なものになったとの分析が報告されているが、訪日を決意するに至る勇気や葛藤を想像するにつけ、同じ立場におかれたら私には到底出来ないことだと思う。

そんなある日、対日道義的債務基金のメンバーであるレンダース夫妻を招いて、大使、公使とともに食事をする機会に恵まれた。レンダース氏がベアトリクス女王陛下（当時）から叙勲を受けたお祝いの席であった。

私はレンダース夫人の横に座った。最初は何を話していいやら困ってしまい、緊張した。取り敢えず、「旦那様の叙勲、おめでとうございます」と言うと、レンダース夫人は、満面の笑みを浮かべながら「どうも有り難う。今日は私たちにとって最高に幸せな一日。ところで、なぜ、貴女はオランダ語がしゃべれるの？」と答えられ、私は、懐かしいライデンでの研修について語った。レンダース夫人は、インドネシアでの楽しかった想い出について語った。さらにレンダース夫妻は、戦後訪日したときの日本での素晴らしい想い出について眼を輝かせながら語って下さった。そして最後に少しだけ戦争とデモの話になった。

「……私たちはね、決して自分たちのために補償が欲しくてデモをやっているのではなくて、貴女のような若い人たちに、インドネシアで何があったか覚えていて欲しくて『デモ』という形で表現してるのよ。戦争は繰り返してはならないからね」

悲しいことに戦争は止まない。世界のどこかでは必ず民族紛争があり、今こうしている現在にも、戦争に巻き込まれて苦しんでいる人たちがいる。歴史は繰り返す。

戦争の悲惨さを知っている人が勇気を出し、心の窓を開いて語らなければ、全く戦争の悲劇は伝わらない。雨の日も雪の日も「デモ」という形で戦争の悲劇を、戦争を知らない人々に伝え続ける戦争被害者に対し、私はこのとき心から尊敬の念を抱いた。彼らの信念と勇気を感じた。

戦争を知らないひとりの人間として、また日蘭外交に関わる一外交官として、とても大切なことを教わった気がした。レンダース夫人に私は心から感謝した。

四十二．戦争の話（その二）

一九九八年四月中旬、雪の降る寒い一日、昼過ぎから、大使及び公使に随行し、ファン・アフト元オランダ首相の自宅のあるナイメーヘンへ向かった。

ハーグからナイメーヘンまでは車で約三時間。高速道路を下り、ナイメーヘンの美しい森を走ること数十分、自然豊かなところにファン・アフト元首相の住まいはあった。

今回は外務省が編集協力する「外交フォーラム」への大使とファン・アフト元首相との対談収録が目的で、私は収録のための機材をもって大使と公使のあとに続いた。

元首相の住まいとはどんなものだろうと内心私は興味津々で、対談以上に楽しみにしていた。私は、それまで何度かファン・アフト元首相には会う機会があり、ファン・アフト元首相の、気さくでユーモアたっぷりのお人柄に感激していたので、なおさら楽しみだった。

玄関のベルを鳴らすと、ファン・アフト首相が夫人とともに我々を温かく迎えて下さった。そして、まずは家の中を見せて下さった。書斎には、ファン・アフト氏が首相時代に歴訪された国々での写真や駐日ＥＣ大使の頃の日本での想い出の品が整然と飾られていた。その整然さには、「やっぱりファン・アフト氏もオランダ人だ」と思わずにはおれなかった。オランダ人の家は、モデル・ルームのように整然としていて、家具類もきちんと磨かれている。

ファン・アフト元首相の説明に耳を傾けながら、現役時代の活躍の姿を想像した。それだけで、何だか楽しかった。

書斎からリビング・ルームに移り、私は「すぐに対談が始まってしまったらどうしようか」と焦りを覚え、きょろきょろした。そしたら、「そんなすぐには対談を始めないから大丈夫。まずはコーヒーでも飲みましょう」と一発で私の考えていることを見抜かれてしまった。

コーヒーを飲んでリラックスしたところで、対談は始まった。

ＥＵ統合とオランダ、ＮＡＴＯ（北大西洋条約機構）の拡大、日蘭交流の歴史等、大使とファン・アフト元首相の間で実に興味深い対談が行われ、時間を忘れて対談に耳を傾けていると、いつのまにか夕食の時間になってしまった。

「お腹が空いたでしょう？　場所を移して気分を変えて夕食を食べながら対談を続けましょう」と言ってファン・アフト元首相が連れて行って下さったのは、ヨーロッパの三大河川のひとつで、ドイツでは「ライン下り」で有名なライン川の支流、ワール川沿いにある古城のフレンチ・レストラン、ベルヴェデーレ（Belvedere）であった。

「Belvedere」とは、「見晴らし台」を意味するフランス語で、その名のとおり、素晴らしい見晴らしを楽しむことのできるレストランだった。

オランダらしい急で狭い石の階段を登ってその三階にレストランはあった。いかにもオランダ人が好みそうな、こぢんまりとした素敵なレストランだった。

オランダ人は、広すぎず、それでいて窮屈でない、適度な空間をよしとする。また外国人に対しては、オランダ人の美的感覚は「small is beautiful」（小さいものが美しい）であると説明する。身体が大きいから「ないものねだり」で小さなものを好むのかもしれないが、「小さいものが美しい」と表現するオランダ人の様子を見るたびに、私はいつもオランダ人を愛らしいと思う。

ワール川を見下ろし、ロウソクの火が美しく揺れてロマンチックな雰囲気が溢れ、それは仕事をする雰囲気にはほど遠く、大好きな人とドレス・アップして来たらどんなに素敵だろうとそんなことを考えていた。

ふと我に返って、収録の準備をしなければときょろきょろしていると「慌てなくていいよ。

まずはゆっくりワインでも飲んで楽しみましょう」と、またしてもファン・アフト元首相に私の考えていることを見抜かれてしまった。

ファン・アフト元首相はまずはメニューを選ぼうとウェイターを呼んだ。すると「申し訳ありませんがこのレストランにはメニューはございません。お肉かお魚かを選んで頂くのみです」とウェイターは言った。

「メニューのないレストラン」には皆顔を見合わせて笑ってしまったが、またそこが洒落ていて素敵だと私は思った。

ワインを片手に対談は続いた。そして、戦争の話になって、ファン・アフト元首相は次のように語った。

「……私は講演などをする際、『私たちオランダ人が、旧蘭領インドネシアに対していかに多くの残虐な行為を行ったかご存知ですか？』と問い続けています。そして英国、フランスが植民地に対して行ったこと、数世紀前に新世界の原住民に対して行ったこと、スペインが現在の南米のインディアンをほぼ一掃してしまったことも問い続けているのです。……日本人が他の人たちより悪いということはなく、私たちが日本人より善いということもない。人間を良い行動や間違った行動に向かわせるものはそれぞれの環境である」（外交フォーラム一九九八年六

月号）

世界の多くの国が、長い歴史のなかで被害者になり、加害者になってきたその事実は、言われてみればその通り、と誰もが納得できるが、客観的に捉えてそれをあっさりと多くの同胞に語っていくファン・アフト元首相はやはり凄い人だと思った。

オランダでは旧蘭領インドネシアでの問題を、第二次世界大戦というひとつの枠組みで捉えることにより、日独の戦後の対応の比較がよくなされる。

ドイツは、オランダとともに戦後直ちに欧州共同体（ＥＣ）の創設国の一員となり、また北大西洋条約機構（ＮＡＴＯ）に加盟することにより、欧州統合の動きのなかでドイツとオランダの関係は緊密化されて、足並みを揃えずにはいられなかった。

そうした状況のもと、戦後四十年の一九八五年、当時のワイツゼッカー大統領が戦後の明確な「謝罪」をした。他方、日本からはドイツのような謝罪はされていないとの声が少なからずオランダにはある。大使は次のように語った。

「……日独を比較するのは極めて機微な問題です。ドイツにとってナチズムは当然のことながら諸悪の根源であり、これは癌のように切除されなければならない。もし、癌を切除できれば他の部分は守られるというわけです。日本の場合、全ての日本人が戦争責任を負うという一般論が存在します。『軍国主義』にのみ責任をかぶせるわけにはいかない、と日本人は考えているのでしょう。ドイツの場合、ナチスこそ非難されるべきであり、追放されるべきであり、ナチスの行ったことは二度と繰り返さないと言っているように思われます。しかし、日本の場合、どこか一部だけを追放や非難をすればよいというわけにはいきません。おそらくこのような問題のために、日本人は一応の結論を出すまでに時間を要したのです」（外交フォーラム一九九八年六月号）

この対談は、日蘭間に横たわる戦争問題をグローバルな視点から捉え、また、人間の長い歴史の流れのなかで捉えるという新たなベクトルを私自身に与えるものとなった。踏み込んだ熱い対談であった。

対談がうまく収録されているか少し気になったが、この場に同席できた喜びをかみしめながら、私はハーグへの三時間の車の旅を楽しんだ。

四十四．戦争の話（その二）

戦争被害者のひとりであるオランダ人のストーク氏の提案によって、一九九九年、日本政府は戦争被害者の孫を日本に招聘する事業を開始した。最初の立ち上げには、在オランダ日本国大使館や外務省が活躍した。

七月上旬から八月中旬までの五週間の日程で、最初の五日間は東京、広島、京都、奈良を訪問し、その後、ホームステイをして日本の家族とともに過ごすプログラムだ。

一九九九年六月下旬、大使公邸に於いて、訪日する青年十五名とその家族が一堂に集い、出発前の壮行会を行った。このとき、日本のＮＨＫに相当するテレアック（TELEAC）のテレビチームも取材のために来ていて、もちろん、このプロジェクトのリーダーであるマリエットもいた。そして、私も訪日する青年たちへのインタビューに付き添った。

皆、目が輝いていて、未だ見ぬ日本に大きな夢と期待を感じているかのようであり、また彼らのおじいさん、おばあさんの旧蘭領インドネシアにおける体験談から「日本人とはどんな人たちなんだろう？」というある種の不安も見て取れた。

そして、私は、何よりも日本軍の捕虜として苦しんだおじいさん、おばあさんたちが現代の日本を体験するために訪日する孫を見送る気持ちを想った。

戦時中、旧蘭領インドネシアにいたオランダ人のなかには、旧蘭領インドネシアで日本人に助けられた人さえいるから、全てのオランダ人が日本軍による悲しい体験をしたわけではない。しかしながら、自分が旧蘭領インドネシアで悲惨な体験をして同じ立場におかれたら、苦難を強いられた「日本」へ孫が訪れることをどう考えるであろうかと。

とても複雑な気持ちだと思った。戦争が終わって、時代は変わっても、自分のなかの旧蘭領インドネシアで作られた日本のイメージを変えることは、不可能に等しいのではないかと思った。孫の訪日を許した戦争被害者の方々の器の広さと勇気に感激した。

五週間後、訪日した十五名のオランダ青年たちは日本での想い出をいっぱいかかえて、元気にオランダに戻ってきた。そして、日本での体験をエッセイにした。

「また是非ともホストファミリーを訪れたい」、「今度はお世話になったホストファミリーにオランダに来て欲しい」「日本での体験は一生忘れることはない」等、どのエッセイにもホストファミリーと過ごした楽しい想い出が綴られていて、人と人の交流の大切さを改めて実感した。

そして、日本を初めて訪れた若きオランダ人たちが最も印象に残る場所として挙げたのは広島だった。戦争の悲惨さと原爆の恐ろしさを今もなお伝える広島の原爆ドームと平和記念資料館の写真や資料は、第二次世界大戦の別の側面を彼らに生々しく知らしめるところとなり、強烈な印象を与えた。その一方で彼らは、宮島に大いに感動した。

私もオランダからの一時帰国の際、宮島を訪れて感動した。海の青と山の緑、そして厳島神社の大鳥居及び社殿の朱という三つの色の調和は、いつ見ても見事に均整が取れていて美しい。

静かな時が流れる宮島で、六世紀から七世紀初めに推古天皇により創建されたといわれる社殿を歩けば、長い歴史の重みを感じることができるし、打ち寄せる波のリズムにのって、自分の心が豊かな自然と調和して平穏になっていくことを感じる。自然の調和の美しさを肌で感じることのできるこの島は、我が国を代表する景色であることは間違いなく、世界文化遺産として後世も変わらぬ美しさを感じさせてくれることだろうと思う。

オランダの若者たちが宮島の自然の美しさを感じ取ってくれたことは、日本人として嬉しかった。そして、戦争の恐ろしさと平和のなかの自然の美しさという二つの相反する要素を持ち合わせる広島は、この世に生まれた多くの人に大きな感動を与え続ける土地であると思ったし、そうあり続けることを願って止まない。

　ある日、孫招聘プログラムに参加し、訪日したオランダ人青年のおじい様から大使宛に一通の短い手紙が届いたことを知った。

「自分の孫が日本に行ったお陰で、私のなかの『戦争』は終わりました」と。

　孫が実際に見て感じ取った現代の日本について聞くことで、生き続ける過去として戦争被害者の心に残っていた悲惨な戦争体験が、五十年以上の時を経て、止まっていた過去がやっと「過去」として、時間の流れのなかで「あるべき場所」に向かって流れ出したといった感であったのかもしれない。まるで春になって融け出す氷のように。

　戦争の悲惨さを体験していない私には想像も及ばないことではあるが、このような手紙を書かれた方の立派な人柄と大きな勇気に頭の下がる思いであった。

　一九九七年の夏のある日、夏休みを利用してオランダにやってきたスズキ・メソド・オーケストラの子どもたちは、ハーレム市内にあるセント・バッフォ教会で、オランダの子どもたちで構成されるコーラスと合同演奏会を行った。

セント・バッフォ教会のパイプオルガン。毎年秋にはパイプオルガン・コンサートが開催され、美しい音色が響き渡る。

ハーレムは、ニューヨークのハーレムの語源となった街でもあり、その街の象徴となっているのがセント・バッフォ教会だ。十四世紀に建てられ、天井はその重みを軽くするために木造建築となっていることから、ロマネスク様式からゴシック様式の移行期にあたる建造物であり、非常に美しい教会である。

アムステルダム国立美術館に行くと、キャンバスの三分の二にどんよりとした、雲の多いオランダらしい空が描かれている絵「ハーレムの眺望」（ヤコブ・ファン・ロイスダール作）を見ることができるが、この絵を見た瞬間、まず眼に入る美しい教会がセント・バッフォ教会であり、前方に

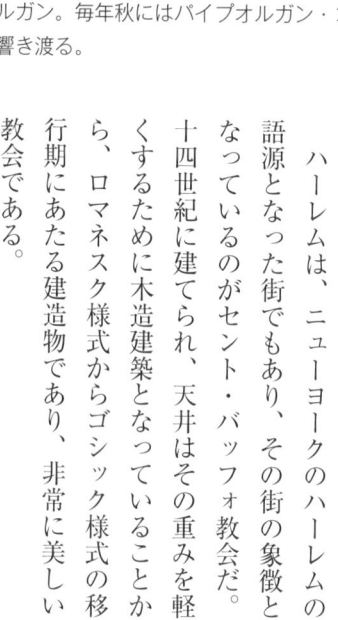

は細長い白い線が何本も入っていて眼を惹く。これはハーレムの砂丘できれいになった水を利用したリネンの漂白作業の様子であり、十七世紀ハーレムの様子を見事に表している。

そんな頃からの長い歴史をじっと見つめてきた堂々たるセント・バッフォ教会で、日本の美しさの象徴ともなっている春の歌「さくらさくら」が合同演奏された。美しい音色が教会中に響きわたった。

公演終了後、あるひとりのオランダ人女性が、涙を流してスズキ・メソド・オーケストラの引率者にこう語ったそうである。

「素晴らしい公演を本当に有り難うございました。私は旧蘭領インドネシアに生まれ、日本の占領下、学校で『さくらさくら』を強制的に歌わされた体験を持つインドネシア系オランダ人です。『さくらさくら』を耳にするたびに第二次世界大戦中、旧蘭領インドネシアでの日本軍収容所における体験が蘇り、とても辛い気持ちになっていました。

なぜだか分かりませんが、今日のこの公演で日本とオランダの子どもたちが一緒になって作り出す『さくらさくら』の美しいハーモニーは、戦時中の苦い体験を忘れさせてくれました。将来を担う日本とオランダの子どもたちが一生懸命『さくらさくら』を合同演奏した、その美しいハーモニーが、恐らく私の心を動かしたのだと思います。
ずっと引きずってきた辛い過去の想い出から抜け出せたような思いです。自分の心のなかで闇のようにあるものがやっと吹っ切れる気がします。本当に素晴らしい演奏を有り難うございました」

数日後、引率者の女性がこの素晴らしい出来事を電話で報告して下さった。スズキ・メソド・オーケストラは、オランダ公演としてオランダの多くの都市で公演を行っていた。

私は、数カ月前からオランダ公演のアレンジのためにその女性と連絡を取り合いながら一緒に仕事をしたことから、彼女が忙しい合間を縫って連絡して下さったのだ。

「子どもたちによる今回のオランダ公演が日蘭交流にこのような形で貢献できたことを大変嬉しく思います」と語った受話器越しの彼女の声は実に力強かった。

連絡を受けた私は、心温まる素晴らしい知らせに感激した。そして、日々の忙しさで忘れかけていた「初心」に立ち返ることができた。「国と国との架け橋として少しでも役に立っていきたい」と思った入省当時の気持ちを新鮮な思いで振り返った。

日々受け入れる日本からの公演事業が、こんな形でも人の心を動かしているのだと新鮮な驚きをもって、仕事のやりがいを認識した瞬間だった。

この嬉しい知らせはもちろん電報の形で外務省をはじめ、我が国との間で戦後処理問題を抱える中国、韓国等アジア諸国の在外公館へ報告した。少し誇らしかった。

日蘭両国は、戦争という名の下に、お互いを傷つけ合った。その傷は生涯消えるものではないが、また時が経って、人が人の心の傷を癒していくこともできるのだということを確かなものとして知った。そして、それは往々にしてとてもさりげない形で実現していくものであることを。

戦争で負った心の傷は決して消えるものではないが、できる限り多くの戦争被害者の心が何らかの形で少しでも癒されることを祈るばかりである。

四十五．天皇皇后両陛下のオランダ御訪問

二〇〇〇年五月二十三日から四日間、天皇皇后両陛下（当時）が史上初めてオランダを公式訪問された。

この御訪問の決定までには実に長い時間を要したし、その実現には、腰を据えた並々ならぬ深い思慮をもって周到な準備がなされた。

大使を筆頭に、それぞれのレベルで、それぞれの担当官が自分に与えられた任務を責任をもってきちんと果たさなければならなかった。私はプレス担当の命を受けた。

この御訪問については本国内でも慎重に慎重を重ねて検討された。だから訪問の正式決定の知らせを聞くまでは、「隔靴掻痒」の感で、プレスと話をしても、言いたいことが言えず、もどかしい思いばかりをして過ごしていた。

一九九六年、オランダのコック首相が訪日した際、コック首相はベアトリクス女王陛下（当時）から天皇陛下に宛てた親書を持参された。それは二〇〇〇年日蘭交流四百周年を迎えるにあたり、是非ともオランダにお出で頂きたいとのベアトリクス女王陛下からの直々の招待だっ

たことから、オランダでも天皇陛下御訪蘭の噂があっという間に広がった。

こうした経緯もあり、レセプション等でメディア関係者と顔を合わせるたびに、私などは「いいカモ」になってしまい、「天皇陛下はいつ来られるのですか？　それはいつ決まりそうですか？」等同じような質問を幾度となく多くの人から浴びせられた。そんなとき私はもちろん笑顔で、「まだ残念ながら決まっていません。しかし一九九六年、ベアトリクス女王陛下は天皇陛下に是非とも二〇〇〇年にオランダに来て頂きたい旨の親書をコック首相に託されています。個人的には日蘭交流四百周年を迎える二〇〇〇年、両陛下をお迎えできればと思います。御存じのように色々な問題はありますが」と答え続けた。

「いろいろな問題」の主な問題とは、日蘭間に横たわる第二次世界大戦のときの戦争被害者問題のことである。

きれいで透明な水のなかに、ほんの一滴の墨汁を入れると、「ほんの一滴」であっても、きれいな水「全体」が霞んで濁ってしまうように、旧蘭領インドネシアでの「たった一年半」の出来事は、四百年もの長くて非常に興味深い日蘭交流の歴史に大きな影を落としてしまった。

こうしたことからも、昭和天皇がオランダを「非公式に」訪問された一九七一年は、戦争の記憶がまだ新しかったこともあり、オランダでの受け入れ体制は最悪だったそうだ。

このときは、旧蘭領インドネシアで「捕虜」として日本軍のキャンプで苦しんで、戦後オランダに引き揚げてきたオランダ人がたくさんいた。元捕虜の方々の心には、鮮明な「苦い過去」としての「日本」があって、彼らにとっては、天皇陛下がオランダを御訪問されるのに際し「何かしなければ気が済まない」という思いでいっぱいだったのだろう。

両陛下の御召車に魔法瓶が投げつけられたり、日章旗が燃やされたりと、「歓迎」どころか「大騒動」だったと、その当時を知るオランダ人や外務省の先輩方から聞いていた。

また、両陛下はオランダを御訪問される二年前、イギリスを御訪問された（一九九八年五月）。その際、両陛下がバッキンガム宮殿に向かわれる道の脇で、歓迎の渦のなか、両陛下がお通りになられるときに、「ほんの一部」であったが元軍人捕虜等が両陛下に対して一斉に背を向けた。このほんの一部の出来事がメディアによって大きく報道され、テレビや新聞等でこの様子を知った人にとっては、両陛下のイギリス訪問は失敗に映った。その結果として、戦後処理問題を抱える国への両陛下の御訪問は時期尚早ではないかとの慎重論が日本国内でも高まった。

そんな背景のなか、両陛下のオランダ御訪問が正式決定されぬまま、粛々と準備が進められ、第一次先遣隊、第二次先遣隊を日本から迎え、調査や話し合いが進められた。

やっと正式に決定してからは、オランダのプレスに働きかけを行い、天皇陛下の日本国内での現在のお立場や役割について正確に理解してもらうべく努めた。準備は順調にいくかと思われた。

しかし天皇皇后両陛下が御到着される一週間前、ベアトリクス女王陛下の父君であるベルンハルト殿下の御容態が急に悪化し、意識不明の重体となり、そして危篤となり、両陛下のオランダ御訪問は危うくなった。オランダの代わりにヨーロッパの他国への御訪問をも念頭に入れて準備しなければならないという幹部の判断を聞いたときには、私は本当に複雑な気持ちになった。

このタイミングで天皇皇后両陛下がオランダを御訪問されることの意義や期待を胸に、一生懸命準備をしてきた時間とその労力を思うとなんだか寂しいような、悔しいような気分だった。オランダ人捕虜の方々が健在のうちに、天皇皇后両陛下が日蘭交流四百周年という歴史的な祭典の一環でオランダを御訪問され、実際のオランダと「出会い」、天皇皇后両陛下が象徴とされる「日本」を多くのオランダ人に感じてもらう機会は、この二〇〇〇年という年を逃したらもはやないだろう、と日蘭両国の関係者の誰もがそう思っていたからだ。もちろん私もその一人だったし、複雑な心境のあまりにその晩連絡した、ライデンで経典を研究する私の親友の言葉は私の脳裏から今も離れない。

「歴史的に大きなものごとが動こうとするとき、ものごとはすんなりといかない。そこには必ず大きな『嵐』が待ち受けているのだね。天皇皇后両陛下のオランダ御訪問は日蘭関係の歴史のなかで、飛躍的な、また衝撃的な『日本とオランダの出会い』そのもので、どこからともなく凄いエネルギーが爆発されるのだと思う。これまで御訪問の準備に携わってきたみなさんの願いは必ず天に届いて、オランダ御訪問は実現しますよ。頑張って下さいね」

そしてその数日後、ベルンハルト殿下の御容態の悪化の原因が、義歯がのどに詰まって呼吸困難に陥ったことであり、もう心配はないとの発表があったときには、関係者全員がほっと胸をなで下ろしたのだった。

「それにしても、喜劇でもあるまいし、人騒がせもいい加減にして欲しい」と私はちょっぴり思ったが、数日前の親友の言葉を思い出し、改めて日蘭両国の関係が新しい時代に向かって動き出すのを感じた。

両陛下は無事にオランダの地を踏まれ、その足でアムステルダムに移動された。第二次世界大戦で亡くなったオランダ人の碑である戦没者記念塔に献花されるためである。

外国プレス担当の私は、プレス本部でテレビ越しに、その様子を息を呑んで見守っていた。ベアトリクス女王陛下は、両陛下の献花に付き添われていたが、まわりには、これまでにないほどの多くの儀仗兵が並んでいた。女王陛下が献花に付き添われることも、そして広場いっぱい、隙間のないほどに儀仗兵が置かれることも、異例なことであることを私はあとから知った。

厳かな、緊張した空気がそこにはあった。両陛下が記念塔に献花され、深々と頭を下げられた。ほんの数秒の出来事ではあったが、私は感無量で涙が出てきた。一緒にその様子を見つめていたオランダ人のスタッフの頬にも涙がつたった。

こうして始まった両陛下の四日に亘る御訪問は、温かくオランダに迎えられ、つつがなく終わった。メディアを通じて流れた一連の報道も、天皇皇后両陛下の温かなお人柄や戦後処理問題についても未来志向的な捉え方で報じられた。

両陛下がオランダの地を離れられて間もなく、私は感動の渦のなか、家族へ手紙を綴った。

家族の皆様、

お元気ですか？

この手紙が届く頃は、日本はもう六月に入りますね。

今日は五月二十七日。天皇皇后両陛下をお迎えし、昨二十六日、フィンランドにお発ちになられました。本当に素晴らしい滞在で、私は感動の連続でした。

日蘭関係には、鎖国時代の「蘭学」に象徴される素晴らしい関係が存在しますが、その一方で、戦争被害者問題があり、両陛下をお迎えするにあたり、実に多くの人に、様々な想いがありました。数年もの間、日本政府、オランダ政府のみならず、個人レベルでも様々な人の努力があり、この両陛下の御訪問の日を迎えることができました。

また、ここまで来るのに、両陛下の御訪問直前では、オランダ東部の都市エンスヘデの大火災やベアトリクス女王陛下の父君であるベルンハルト殿下の病状の悪化などがあり、御訪問自体がなしになるのではないかという心配すらありました。そんななかで両陛下をお迎えして、両陛下がアムステルダムのダム広場で戦没者記念塔に花を捧げられる、その一部始終をテレビの生中継で見たときには、感無量で目頭が熱くなりました。本当に素晴らしい、厳かな儀式でした。

公式晩餐会のお言葉では、天皇陛下が戦争被害者に対する深い想いを述べられ、それに対してベアトリクス女王陛下が、戦争の悲しみもあるが、未来に向かって日蘭関係が更に発展していくことを心から願っていると述べられました。それを受けて戦争被害者のなかには、勇気を出して、日蘭の将来を担う子どもたちへの言葉を述べる人もいました。そして、オランダのコック首相は、天皇陛下ご自身の戦争に対する想いに対して、心からの感謝の気持ちを述べられました。

その人のおかれた立場や考え方を「尊重し、思いやる」ことと、多くの人の、この御訪問に賭けた熱い想いがこの御訪問を成功に導いたのだと心から実感しています。

人が人を思いやって創り上げられるものごとが、どんなに美しく尊いものかということを、この御訪問を通じて心から感じました。そして、そんななかで縁の下の力持ちとして頑張れたことは、自分のなかで何よりも大きな自信になりました。

私も上司の配慮があって、両陛下のご引見に出席することができました。両陛下の前で上司から、「野田書記官です」と紹介され、「御苦労様です」と労いの言葉を両陛下から頂きました。心からのお言葉であることが伝わりました。

両陛下は、本当に心から人を想われる、本当の意味で優しい方であり、こんな立派な方が日本の象徴であることを心から嬉しく、また誇りに思いました。

最後に、天皇陛下は「今次訪問のための皆様の御苦労を心から感謝致します。……今後とも二国間の発展のために活躍されることを願っております」と結ばれました。そのとき、私は多くの人の理解と応援に支えられて、オランダでこのときまで頑張ってきたことを心から嬉しく思いましたし、自分の信念を貫いて本当によかったと思いました。これも、今まで遠くから見守り、応援して下さった家族のみんなや多くの友達、支えてくれた仲間のお陰です。心から感謝しています。

次の新たな道を歩み始める希望と夢が私にはあります。実にいろいろなことがあったオランダでの五年間にわたる生活のなかで、私は、世の中のこの上なき素晴らしきこと、人の澄んだ美しい心、そしてそれらの「対峙」を見てきた気がします。人生の先輩であるおじいちゃんやお父さん、お母さんには到底かないませんが、自分の生きている社会がどんなものなのか、そして、その社会で生きていくことがどういうことなのかを、オランダでひとり暮らしをしたことで、「ほんの少しだけ」分かり始めた気がします。

今は忙しさの極致から逃れた解放感と、両陛下の御訪問が成功に終わった達成感と、そして、日本での新たな生活への希望とで私の心は満たされています。

オランダでの生活は残り八週間余りとなりましたが、やりたいことがたくさんあって、時間が惜しくてたまりません。オランダから去るという少しばかりの寂しさはありますが、オランダという国との出会いを一生、大切にしていきたいと思っています。

両陛下の御訪問で学んだ「人を想う心」の大切さは、生きていく上で人として最も尊い心だと私は思います。どんなときでも、そんな心を持てる人に成長していきたいと思います。

ではまたお便り致します。

どうぞお身体を大切に。

二〇〇〇年五月二十七日

尚美より

おわりに

二〇〇〇年という年は、私にとって二つの大きな意味があった年だった。ひとつは、日蘭交流四百周年という記念すべき年であり、日蘭交流四百周年記念事業が日本とオランダ両国において官民両レベルで開催され、オランダでは、天皇皇后両陛下をお迎えするという一大イベントがあった。オランダ語を専門とする一外交官として、表舞台でも活躍の機会を得た年であり、日本とオランダにとっては次世紀に向けた飛躍の年となった。

そして、二〇〇〇年は私にとって二十代最後の年であり、人生の新たなスタートを切った年だった。オランダから帰国後、外務省を辞職し、故郷に帰った。私の帰りをずっと待ち続けてくれた最愛の人と結婚し、ふたりの子どもを授かった。妻や母親として奮闘する一方、非常勤という立場ながら、英語の講師として大学や高校の教壇に立ってきている。学生時代、いつかチャレンジしたいと温めてきた私のもうひとつの夢が、学校での教育に携わることだったからだ。私にとってのセカンドキャリアである。

教育現場にいるなかで、これまで様々な人との出会いや出来事があり、多くの気づきや学びがあった。

なかでも、教科担当したクラスのひとりの生徒の自殺、そのことが及ぼしたまわりの生徒への、計り知れない程の大きな影響を目の当たりにした経験は大きかった。私を含め、身近にいた大人にできることはなかったのかという苦しく悔しい思いから、無我夢中で心理の勉強をした時期が私にはある。その経験は、振り返れば私自身がキャリア教育に関心を持ち、目を向ける大きな転機となった。

学生や生徒と関わり続けるなかで、彼らが何かに「チャレンジしたい」という思いを「チャレンジしよう」に変えていくのは、身近にいる信頼できる大人からの「勇気づけ」だということを確信した今、サードキャリアとして、キャリアコンサルタント（二〇二一年取得）の資格を活かし、キャリア教育を軸足とした活動にも力を注いできている。

「オランダの顔」の出版を機に、有難いことに、地域、学校など様々な団体から声をかけて頂き、オランダという国や外交官としての経験を語る機会を数多く頂いてきた。これまでの「国際理解」という観点のほかに、自分がなりたい人間に成長していく過程（「キャリア」）を大切にするキャリア教育の視点を加えた講演活動を今以上に行っていきたいと思う。

予期すらしなかったコロナウイルスの数年に及ぶ世界的な流行を経て、時代は大きく動いた。ＡＩをはじめとするＩＴ技術の急速な発展も相まって、職業の種類や人々の働くことに対する考え方など、社会を取り巻く環境は激変し、人々の価値観も多様化している。それに伴い、多様な生き方が受け入れられつつある今の時代、「自分らしく生きる」ことは、少し前に比べ実現しやすく、面白い時代に突入したと私は感じている。それ故に、キャリア教育の重要性も高まっていると思っている。

「オランダの顔」をリニューアルすることは、これまでの自分の歩みを丁寧に振り返る絶好の機会となった。キャリア教育という視点においても、オランダには学ぶことが少なからずあり、物理的にオランダから離れている今でも、私にとっては古くて新しい学び舎である。

これまでの全ての出会いに、改めて心から感謝したい。

二〇二四年五月

杉本　尚美

拙著に対する感想や質問、講演などの依頼は nora.key3@gmail.com までお願いします。

参考文献

（オランダ語参考文献）

・Nederlands verleden in vogelvlucht DELTA 2 De nieuwe tijd: 1500 tot 1813
(S. Groenvelt&G.J.Schutte, Martinus Nijhoff Uitgevers, Leiden 1992)

・Nederlands verleden in vogelvlucht DELTA 3 De nieuwste tijd: 1813 tot heden
(J.TH.M. Bank, J.J. Huizinga, J.T.Minderaa, Nijhoff Uitgevers, Leiden 1992)

・De Nederlandse geschiedenis in een notendop
(Herman Belien en Monique van Hoogstraten, 1999 Prometheus Amsterdam)

・Sporen van de Nederlandse geschiedenis in St. Petersburg
(Caroline de Jonge en Barbara van Pelt, 1996 Flevdruk, Westeinde)

・HET ACHTERHUIS Dagboekbrieven 12 juni 1942-1 augustus 1944
(Uitgeverij Bert Bakker, 1999)

・Het huisje van Czaar Peter in Zaandam (J.J.Zonjee, 1982 Huisdrukkerij gemee-

nte Zaanstad)
- Zaanse Schans（Stichting `De Zaanse Schans', 1994 Zaandam)
- Peter de Grote en Holland（Renee Kistemaker, Natalja Kopaneva, Annemiek Overbeek, Uitgeverij THOTH Bussum, Amsterdams Historisch Museum)
- MATA HARI（1876-1917）: de levende legende（Marijke Huisman, Hilversum Verloren 1998)
- NASSAU&ORANJE 600 Jaar geschiedenis van ons vorstenhuis Van Engelbert — tot Willem-Alexander（drs.Willem Ruizendaal/ drs. Marian Cnorads, Trion-Baarn)
- ATLAS VAN WINDENERGIE IN NEDERLAND（Elsevier bedrijfsinformatie, 1999)
- HOLLAND WATERLAND（Van Mastrigt en Verhoeven, Duiven)
- Dat is nou Typisch Amsterdammers（Uitgeverij Krkke c.s., 1996 Leiden)
- KLM in beeld 75 Jaar vormgeving en promotie（V+K Publishing BV, 1994）
- ELSVIER（1999年11月13日発行)
- ELSVIER（2000年1月1日発行P．19－20)
- Telegraaf（1998年12月12日付　ヘップバーン特集)
- Volkskrat（1999年4月16日付　コソボ紛争)

（英語参考文献）

・Holland Horizon（Volume11, Number1, March 1999, Ministry of Foreign Affairs P.14-17）
・The Dutch Puzzle（Duke De Baena, L.J.C.Boucher-Publisher, the Hague, 1975）
・Newcomers in an old city The American Pilgrims in Leiden, 1609-1620 (Joke Kardux and Eduard van de Bilt, Burgersdijk&Niermans, 1998)
・ERASMUS and ROTTERDAM（L.Visser-Isles Van Waesberge, Rotterdam 1997)

（日本語参考文献）

・オランダ語誌―小さな国の翁言語への旅―（B．C．ドナルドソン著　石川光庸、川崎靖訳　現代書館　１９９９）
・オードリー・ヘップバーン（上・下）（バリー・パリス著　永井淳訳　集英社　１９９６）
・アンネ・フランク・ハウス　ものがたりのあるミュージアム（１９９２　Ｓｄｕ出版）

・「日蘭修好380年記念　日蘭交流の歩み」
（オランダ・フェスティバル'89　大阪実行委員会　1989年3月）
・自ら死を選ぶ権利　オランダ安楽死のすべて　ジャネット・あかね・シャボット著
（1995　徳間書店）
・赤瀬川原平の名画探険　フェルメールの眼　赤瀬川原平著（1998　講談社）
・カクテル・ベストセレクション100　後藤新一監修（1995　日本文芸社）
・世界地図の裏側　笹原義明著（1999　ごま書房）
・物語アイルランドの歴史　波多野裕造著（1994　中央公論新社）
・シーボルトのみたニッポン（1994　シーボルト記念館発行）
・幕末オランダ留学生　宮永孝著（1982　東書選書73）
・シャルル・ボードレール「パリの憂鬱、小散文詩」パリ、1869
（阿部良雄訳、筑摩書房、1987）
・週刊地球旅行№80（1999年10月28日号　P．4）
・日本航空機内誌アゴラ（1999年1月号　P．18-19）
・大日本百科事典（1968　小学館）
・2000年11月29日付朝日新聞第3面記事（「オランダ安楽死合法化」）

・外交フォーラム（1998年6月号）

・https://scitechdaily.com/huge-unexplained-variation-in-euthanasia-rates-across-the-netherlands/
・IMF - World Economic Outlook Databases（2023年4月版）
・https://datatopics.worldbank.org/world-development-indicators/
・https://www.jetro.go.jp/biz/areareports/special/2022/0802/72d50d59da0990de.html

著者プロフィール

杉本 尚美（すぎもと なおみ）

(旧姓：野田）岐阜県生まれ。

高校在学中、アメリカに１年間留学。

1994年外務省入省。在オランダ日本国大使館勤務（1995年～ 2000年）。日蘭交流400周年記念事業（2000年）で広報担当。その後、結婚を機に外務省を退職。

「オランダの顔―オテンバ外交官の日記から―」の出版（2001年）後、講演、執筆、翻訳等を行う。

国立岐阜大学、愛知県立一宮西高等学校等にて非常勤講師（英語)。国家資格キャリアコンサルタント取得（2021年)。国際理解の視点に加え、キャリア教育視点の講演を行う。特定非営利活動法人日本次世代育成支援協会認定心理カウンセラー。

１男１女の母。

メールアドレス：nora.key3@gmail.com

オランダの顔

2024年５月15日　初版第１刷発行

著　者　杉本 尚美
発行者　瓜谷 綱延
発行所　株式会社文芸社
〒160-0022　東京都新宿区新宿1－10－1
電話　03-5369-3060（代表）
03-5369-2299（販売）

印刷所　株式会社フクイン

©SUGIMOTO Naomi 2024 Printed in Japan
乱丁本・落丁本はお手数ですが小社販売部宛にお送りください。

送料小社負担にてお取り替えいたします。

本書の一部、あるいは全部を無断で複写・複製・転載・放映、データ配信することは、法律で認められた場合を除き、著作権の侵害となります。

ISBN978-4-286-25213-1